新潮新書

一流の田舎を創造する

971

新潮社

はじめに

本書のタイトルを見て、「山奥でビジネスが本当に可能なのだろうか？」と疑問を持った読者もいるのではないだろうか？　答えはイエス、今や山奥であっても様々なビジネスが可能になっている。なぜならば山奥が、かつての不便な山奥ではなくなっているからだ。まず、山奥にも高速道路やトンネルができ、アクセスが良くなった。そして2000年以降にインターネットが本格的に普及したことにより、都会と地方の間にあった情報と物流の格差が一挙に縮まった。さらに2020年からの新型コロナウィルスの感染拡大で、テレワークでの仕事やオンライン・ミーティングが日常のこととなった。今や都会でやっていた仕事を山奥でもできるようになったのだ。

本書に登場する山奥ビジネスは多様である。移住したITエンジニアやデザイナー、アーティストたちは自然とともに暮らし、クリエイティブな環境で優れた仕事をしている。食や住まいの職人たちは地域資源を活かしながら、その土地でしかできない価値あるビジネスを展開している。

本書の「山奥」とは、人が住んだことがない山奥ではなく、かつて銀山や炭鉱、林業などで栄えていた地域のことを指す。例えば50年前と比べ、人口が半減した地域は全国にたくさんあるだろう。本書は人口が減少した地域に、これからどんなビジネスを呼び込んで、地域をどのように活性化していくべきかについての道標となるものである。

本書に登場する山奥とそのビジネス事例を挙げておく。第一章の熊本県山都町（やまとちょう）は、九州の真ん中にある人口1万4000人弱の町、第二章の石川県能登町は奥能登にある人口1万6000人弱の町である。2014年に出版された『地方消滅　東京一極集中が招く人口急減』では、若年女性人口の減少率が山都町はマイナス74・2％で熊本県第二位、能登町はマイナス81・3％で石川県第一位となっている。そうした「消滅可能性が高い自治体」であっても、山都町では東京から移住した若い世代がIT企業を立ち上げ、能登町の山の上にある牧場からは、世界一のジェラート職人が誕生している。第三章の北海道岩見沢市美流渡（みると）地区は、かつて炭鉱があって栄えたが、現在の人口は400人弱である。第四章の島根県大田市（おおだし）大森町は、世界遺産である石見銀山で栄えたが、現在の人口は同じく400人弱だ。これらの地区には、山奥であっても行列ができるパン屋さんがあり、都会から編集者やアーティストが移住し、全国のデパートやショッピングモールに30店舗以上も展開しているアパレル企業の本社があったりするのである。

本書では、そうした山奥のビジネス事例と、明確なコンセプトで地域の魅力を高め、価値が高いユニークなビジネスを招いている自治体3事例を研究している。本書で取り上げた事例に共通するキーコンセプトは、以下の3つである。

①ハイバリュー・ローインパクト

「ハイバリュー・ローインパクト」とは、価値が高い財・サービスを生み出しながら、環境や土地の文化への負荷を低く抑えるということである。ローインパクトというと、日本語では「インパクトが弱い」と誤解されるかもしれないが、この場合は「環境や土地の文化に悪影響を与えない」という意味での「ローインパクト」である。

「ハイバリュー・ローインパクト」はもともと、ブータン政府の観光政策であった。ブータンでは観光客に高い価値のあるサービスを提供するために、観光ツアーには専門のツアーガイドが必ずついている。また宿泊とガイドの料金が含まれたツアーは、価格競争にさらされないように公定料金を定めている。観光ツアーでは、観光客が自然環境や土地の文化や風習を守るようにツアーガイドが案内するシステムになっている。

「ハイバリュー・ローインパクト」という言葉は、第四章に登場する群言堂(ぐんげんどう)のデザイナー、松場登美を取材した時に教えてもらった。第四章で詳述するが、群言堂が全国で展開しているビジネスは、まさに「ハイバリュー・ローインパクト」そのものである。つまり「ハイバリュー・ローインパクト」とは、自然環境や土地の文化に配慮しながら、持続可能なビジネスを行うための指針となるコンセプトであり、国連の持続可能な開発目標(SDGs)にもつながる。「ハイバリュー・ローインパクト」なビジネスをすることは、地球環境の悪化による気候変動を抑制する効果も期待できるだろう。

②SLOC(Small, Local, Open, Connected)シナリオ

「SLOCシナリオ」とは、ソーシャル・デザイン思想家であるエツィオ・マンズィーニが提唱する、社会変革を興すためのコンセプトである。文字通り、スモールでローカルなプロジェクトが、他の地域の人々に対してもオープンな状況となり、深く関係して

いくことによって、他の地域にも展開していくことだ。このコンセプトは、持続可能な社会にするための社会変革が起こる条件を指摘したものである。マンズィーニはＳＬＯＣシナリオの実例として、１９８０年代にイタリアで起こった「スローフード運動」を挙げている。「スローフード運動」は、もともとローマのスペイン広場にマクドナルドが開店することへの反対運動から始まった。このように小さくてローカルな反対運動が「消費者と生産者がつながって、地域の食文化を守ろう」という世界的なスローフード運動にまで発展しているのだ。

そのマンズィーニは近著『Design, When Everybody Designs: An Introduction to Design for Social Innovation』のなかで、Ｅ・Ｆ・シューマッハーが１９７３年に出版した『スモール　イズ　ビューティフル　人間中心の経済学』について言及し、「シューマッハーの時代にはなかったインターネットの存在で、Small はもはや Small ではなく世界中に影響をあたえ、同様に Local な存在も世界中の人に開かれている」としている。

ここで、『スモール　イズ　ビューティフル』についても、要点を簡単に説明しよう。同書が訴えていることは、物質至上主義や科学技術至上主義が行き過ぎれば、人間性が失われ環境破壊が進み、人間の存在すら脅かすようになるという警告である。そして同書の第五章「人間の顔を持った技術」では、「大量生産」と「大衆による生産」の対比を、以下のように表現している。

大量生産の体制のよって立つ技術は、非常に資本集約的であり、大量のエネルギーを食い、しかも労働節約型である。現に社会が豊かであることが、その前提になっている。なぜならば、仕事場一つ作るのにも、多額の投資を要するからである。大衆による生産においては、だれもがもっている尊い資源、すなわちよく働く頭と器用な手が活用され、これを第一級の道具が助ける。大量生産の技術は、本質的に暴力的で、生態系を破壊し、再生不能資源を浪費し、人間性を蝕む。大衆による生産の技術は、現代の知識、経験の最良のものを活用し、分散化を促進し、エコロジーの法則にそむかず、稀少な資源を乱費せず、人間を機械に奉仕させるのではなく、人間に役立つように作られている。（『スモール　イズ　ビューティフル　人間中心の経済学』講談社学術文庫　小島慶三・酒井懋訳　204頁より抜粋）

今から50年前に書かれたシューマッハーの文章は、現代人が直面している環境問題、

行き過ぎたグローバル経済	オープンなローカル経済（SLOC）
都市の文明	地方の自然・文化
大量生産・大量消費 環境破壊と人間疎外 画一的なファーストフード（国際調達）	ハイバリュー・ローインパクトで、大衆による生産 環境保全と人間中心の働き方 地域の食文化に基づく多様なスローフード（地産地消）

都市への集中、機械による人間支配の可能性などについて、問題の所在とソリューションを驚くほど明確に語っている。

本書の第一章から第七章で取り上げた山奥ビジネスの人々は、いずれも「よく働く頭と器用な手」を持ち、山奥で環境に配慮しながら、職人的な働き方や節度ある暮らし方をしている。そして、シューマッハーの時代には存在していなかった「第一級の道具」であるインターネットの存在は、山奥でも情報の収集や伝達を可能にするため、山奥ビジネスが成り立つのである。さらにインターネットの存在は、都市と地方との有機的な交流を創出することを可能にしている。

SLOCシナリオが重要なのは、これが持続可能な地方経済を構築するための行動ヴィジョンであるからである。本書に登場する自治体3事例では、いずれもＳＬＯＣシナリオが実現している。そうした行動実践が複製され、他の地方でも展開されることで、持続可能な地方経済が実現していくことになる。

シューマッハーやマンズィーニが主張していることは、前頁の表のようにまとめられる。この対立概念については、第八章でさらに詳しく述べることにする。

③越境学習

越境学習とは、自分が育った土地を離れ進学や就職をして、新しい技能を学び、新しい価値観を得ることである。例えば会社の跡継ぎが他の会社に数年間勤務し、いわゆる「武者修行」をすることも典型的な越境学習である。

本書の山奥ビジネスの人々は越境学習を通じて新しい経験をし、今までなかった知見を得て、山奥でビジネスをさらに発展させている。また越境学習とは、地方から都会に行くことだけではない。都会から地方に移住した場合にも、今までとは違った環境からの学びや気づきがあり、越境学習をすることができるのだ。

筆者は都会から地方への越境学習を20年間しており、また山奥ビジネスの実践者でもある。筆者は横浜市出身でアメリカに2年間ＭＢＡ留学した後、１９９７年にインド紅茶の輸入・ネット通販会社を千葉県で起業した。38歳まで首都圏で暮らしたが、２００２年に「都会の中学受験戦争から逃れるために」、子供３人を連れて、長野県の山奥に移住した。そして２０１８年には会社を事業譲渡して、現在は経営エッセイストとして執筆と講演をしている。夫は国際エコノミストの藻谷俊介で、夫の会社は移住前と同じく東京都にある。つまり夫はコロナ禍より約20年前から、長野と東京の二拠点でテレワークを実践しているのだ。

「人とストーリーが、行動を促す」と私は考える。私もそうした「人とストーリー」を求めて、全国の山奥を旅した。

それでは、山奥ビジネスの旅を、熊本の山奥から始めよう。

（文中敬称略）

山奥ビジネス　一流の田舎を創造する——目次

第一部　山奥でビジネスを展開する

第一章　熊本県山都町

「分け入っても　分け入っても　青い山」

『行乞記』種田山頭火著

「分け入っても　分け入っても　青い山」という自由律俳句の如く、九州山地の低い山々がうねうねと続く山奥の町、その名も山都町が、最初の山奥ビジネスの舞台である。

この地で２５０年以上続く通潤酒造に１９８９年、エリート銀行員の山下泰雄がＵターンした。山下は酒蔵の経営立て直しのために日本酒の海外販売を推進し、酒蔵エンターテイメント業へと事業を変革している。さらに山下は東京からＩＴ企業、ＭＡＲＵＫＵを招く。首都圏や海外から熊本県に移住しＭＡＲＵＫＵで働く若者たちは、地域課題の解決のためにＩＴ技術を活用し、古民家や廃校をシェアオフィスに転換し、さらに他のＩＴ企業を招いている。彼らは熊本県にＩＴ企業を集積させて産業の多様性を形成するために、地元の自治体や企業と連携しながらＩＴビジネスを展開しているのだ。

放水する通潤橋（写真提供：MARUKU）

バブル絶頂期にエリート銀行員がUターン

山都町は、熊本市内から車で1時間ほどのところにある山奥の町だ。九州のほぼ真ん中にあることから、「九州のへそ」を商標登録している。山都町は2005年に3つの町村が合併して誕生した町で、人口は1万3723人（2022年7月末現在）、標高300〜1700メートルの山間に広がる町である。九州であっても山間部のため、冬はマイナス10度まで気温が下がる準高冷地でもある。山都町は、農業用水を送るために江戸時代に建造された日本最大級の石造りアーチ水路橋、通潤橋（写真）でも知られている。過疎化と少子高齢化が進み、

通潤酒造12代目　山下泰雄（写真提供：通潤酒造）

２０１４年に出版された『地方消滅』では熊本県内の45市町村中、２番目に消滅可能性が高い自治体とされた。また２０１６年の熊本地震の震源地にも近く、甚大な被害があった地域でもある。

１７７０年（明和７年）創業の老舗、通潤酒造12代目の山下泰雄は１９６３年生まれ、三人きょうだいの長男である。山下は老舗酒蔵の跡取りとして子供のころから祖父にかわいがられ、「長男である自分が、通潤酒造を継ぐのが当たり前」と思っていた。高校から熊本市内に下宿し、大学は大阪大学経済学部に進学して数理経済を学んだ。大阪では上方落語や芝居を見に行ったり、当時の大阪証券取引所で小口の株式投資もやってみたりするなど、大学生活を大いにエンジョイしていたそうだ。

山下は１９８６年に大阪大学卒業後、日本興業銀行（現みずほ銀行）に入行する。東京の日本橋支店に配属され、朝8時から終電までモーレツに働く日々を送る。上司からは100億円規模の不動産融資をどんどん増やすように言われ、「日本興業銀行は日本経済の基幹産業に対して融資をする」と思っていた山下は、違和感を覚えたという。

そのころ実家の通潤酒造は山下の祖父と父が経営していたが、売上が約1億5000万円に対して、借入金が約2億円もある経営状況だった。父は東京農業大学を卒業して家業に戻り、酒造りには熱心でも経営にはあまり関心を持たなかった。経営を担っていた祖父は、孫がエリート銀行員となったことを大変に喜び、「自分の代で造り酒屋をやめる」と言い出して、帰省していた山下と口論となった。「いつかは自分が酒蔵を継ぐ」と思っていた山下にとって、祖父が廃業すると言い出したことは、「足元の地面が抜け落ちるような感覚」だった。後から知ることになるのだが、口論した際に祖父は脳卒中を起こしており、祖父が1989年に亡くなると、山下は責任を感じる。そして山下は興銀を辞めて熊本の酒蔵に戻ることを決意し、1989年11月に人事部に退職することを伝えた。時はバブル経済の絶頂期、「今、興銀を辞めて熊本の酒蔵に戻るのか？」と人事部には大変驚かれたという。

免税店での販売と海外輸出

当時の通潤酒造は赤字経営で、山下が最初に受け取った月給はわずか15万円だった。銀行員の給与水準は高かったので、前年度の給与水準に基づく住民税を払うのに苦労したという。帰郷した山下は酒蔵経営を一から学び、同業者や山都町の酒米農家との付き合いも始まった。しかし山奥にある小さな酒蔵は月々の資金繰りにも苦労し、山下は個人的な信用で地銀から融資を受けて、なんとか事業を継続できるという状況だった。

１９９２年12月、当時世界最大級といわれた成田空港の第二ターミナルが開業した。「成田空港第二ターミナルの免税店で、日本酒を販売しないか」と知り合い経由で声を掛けられ、山下は高価格帯の純米吟醸酒を卸し始める。免税店での販売は当たり、多い時には月に４０００本も売れ年間約５０００万円を売り上げた。その後も同じ業者を通じて、台湾や韓国の最高級ホテルでの販売や中国の航空会社の機内販売にも採用され、通潤酒造は日本酒の海外販売を拡大していった。経営状況は徐々に好転し、売上は約２億５０００万円となり、海外売上が３割以上を占めた。また海外売上の拡大で、高価格帯の純米吟醸酒の生産能力を高められたことも収穫だったという。

観光酒蔵からネット通販へ

しかしその後、競合が増えたため免税店での販売や海外輸出は伸び悩む。またそれらの取引は卸マージンが大きく、販促物の提供なども負担になっていた。そこで山下は消費者への直接販売を増やすために、1996年から酒蔵見学を始め、観光酒蔵への転換を試みた。山都町の観光名所である通潤橋を訪れる観光客を呼び込み、酒蔵で無料試飲を提供して日本酒を買ってもらうスタイルだ。通潤酒造には熊本県内で一番古いとされる寛政蔵という酒蔵があり、リフォームして観光酒蔵として整備した。しかし実際に酒蔵見学をやってみると、観光客は無料の試飲を楽しんでも、肝心の日本酒をなかなか買ってくれない。酒粕を活用して製造販売している漬物を買うくらいで、平均客単価はわずか500円程度だった。

1997年には先代の父親から代替わりして、山下が通潤酒造12代目の社長となる。山下は消費者への直接販売を増やすために、今度は会員制のカタログ通販を始めた。観光に来た顧客を中心にカタログを送付し、ある程度伸びたものの、印刷代などがコスト負担となった。そこで2000年代に入ってからは、ネット通販に注力する。

転機となったのは、地元出身の若い社員が入社したことである。2012年に、山都町にある真宗大谷派潜龍山延隆寺18代目の跡取りとなる、菊池一哲がUターンした。いずれは寺を継ぐものの、父親である現住職も元気なうちに地域との関係を身につけるため、副住職として帰郷したのだ。住職から「息子が帰ってきた」という話を聞いた山下は、菊池を広報・ネット通販担当として雇うことにする。

菊池はネット通販の経験はなかったが、山下は中小機構の専門家派遣制度で月に一度派遣される専門家から、菊池がネット通販の指導を受けられるようにした。菊池は通潤酒造の酒造りについてのブログを書き、SNSでも積極的に発信をして、通潤酒造のネット通販を軌道に乗せようと日々懸命の努力をしていた。

ある日、菊池はオンラインゲーム「刀剣乱舞」に出てくる「蛍丸」という刀のことを友人から聞く。「刀剣乱舞」とは2015年1月にリリースされた人気ゲームで、テレビアニメや映画化もされている。そして「蛍丸」という刀は、山都町と以下のような由縁がある。

「蛍丸」とは、南北朝時代の南朝側の武将である阿蘇惟澄が所有していたとされる刀だ。阿蘇惟澄は1336年の多々良浜の戦いで北朝側と戦ったが敗れ、山都町矢部地区にある入佐城に戻った。そこで阿蘇惟澄は戦で刃こぼれした刀が自然に修復する様子を夢に見たという。その様子がまるで刀のまわりに蛍が飛んでいるようであったことから、その刀を「蛍丸」と名付けたとされる。その後、「蛍丸」は阿蘇神社や肥後熊本藩の細川家などで保管されていたが、戦後GHQによる刀狩りから行方が分からなくなっており、まさに「伝説の名刀」となっているのだ。

菊池はオンラインゲームで「蛍丸」が話題になっていることを社長の山下に話したところ、「蛍丸」と山都町は深い縁があるので通潤酒造で商品化することにした。新しく蛍丸のボトルをデザインしたのは、山都町にある「みずたまデザイン株式会社」である。

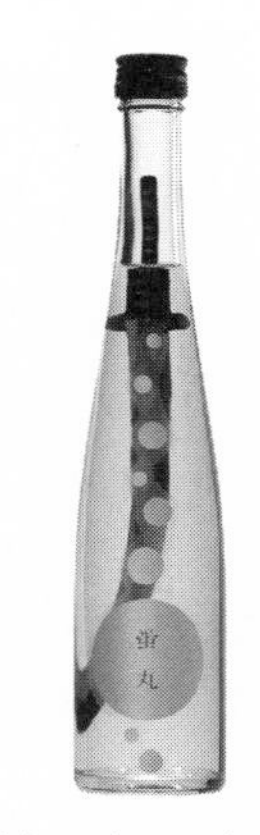

蛍丸のボトルデザイン
（写真提供：通潤酒造）

２０１０年に東京から山都町へ移住した夫婦が、山奥で予約制のカフェとデザイン会社を経営していたのだ。

蛍丸のボトルデザインは、３７０㎖の細い瓶の表に黄色い蛍が舞うように描かれ、裏側には刀剣が縦に描かれている。ボトルに日本酒が入ると、ちょうど刀剣の上を蛍が舞っているように見える。こうしてその土地の伝承をボトルにデザインした「純米吟醸酒　蛍丸」を、２０１５年の６月に商品化することができた。「純米吟醸酒蛍丸」は内容量３７０㎖で１５２８円（税込）と日本酒としては割高である。しかし「刀剣乱舞」の人気もあって全国からネット注文が殺到し、最初の３００本は数秒で完売したという。その後も人気が続き、今では年間１万本以上が売れている。このように人気オンラインゲームと山都町の伝承を結びつけることで、全国の若い世代に山奥にある通潤酒造の日本酒を買ってもらうことに成功したのだ。

熊本地震での被災と酒蔵エンターテイメント業への転換

２０１６年４月14日と16日に発生した熊本地震では、震源地に近い山都町でも震度６弱を記録し、通潤酒造も甚大な被害があった（写真）。14棟の蔵や建物が全半壊して４０００リットル以上の日本酒がタンクから流出した。16日未明に起きた本震では、山下が自宅の２階で寝ているとドーンという大きな音がして家屋が激しく揺れ、２階の壁が崩れ落ちて外が見えていたという。山下は「蛍丸のヒットで売上が上向きになってきたところなのに、この先、酒蔵を続けていけるだろうか」と将来に大きな不安を持つよう

熊本地震での被災の様子（写真提供：通潤酒造）

になった。社員たちとガレキの片付けを始めたものの、被害のあまりの大きさに途方に暮れる日々だった。

　そんな中、「蛍丸」の販売を通じて知り合った全国の顧客からSNSで励ましの声が届き、通潤酒造にネット注文が殺到した。事業の再建もままならない中だったが、社員総出でネット注文に応じ大忙しの日々となる。そして5月3日に東京・有明で「SUPER COMIC CITY」というイベントが開催された。この日のために社員一丸となって瓶詰めした蛍丸2000本を、菊池が会場で販売すると半日で売り切れた。蛍丸を通じて知り合った全国の若い世代から、熊本地震後にこのような熱い支援を受けて、山下や社員たちは通潤酒造の経営を立て直す勇気が出てきたという。

熊本地震後に、蒲島郁夫熊本県知事は「創造的復興」「震災前よりも良いものを創る」を提唱した。山下はこの言葉に力づけられる。ちょうどその頃、知人からアメリカ・カリフォルニア州のワインの産地、ナパバレーに行くことを勧められ、山下夫婦はワインツーリズムを体験するためにナパバレーを旅した。ナパバレーのワイナリーでは、3種類のワインを50ドルで有料試飲に提供しており、なかには有料試飲が100ドルもするワイナリーもあった。それでも観光客が続々と訪れて、気に入った高額のワインを購入していた。山下はナパバレーのこうした状況を見て、目からウロコが落ちるような思いだったという。

帰国後、山下は「創造的復興」をさらに進めるために、「酒蔵エンターテイメント業」への変革を決意する。熊本地震関係の復興補助金を受け、さらにクラウドファンディングでも寄付を募って、江戸時代からの寛政蔵を「おもてなしのカフェ」にした。ここでしか味わえない利き酒セットを数種類用意したが、山奥にある通潤酒造には車を運転してくるお客も多いため、ノンアルコールのドリンクや甘酒、スイーツのメニューも充実させた。寛政蔵はあくまでカフェとして経営し、本格的に食事を楽しみたい人には山都

リノベーションした寛政蔵（写真提供：通潤酒造）

町の割烹店を紹介している。こうすることで地域での滞在時間を長くし、観光客が地域を循環するようにしているのだ。

地方にある企業は、一般に「IT化・ブランド化・国際化」が遅れていることが多い。しかし熊本の山奥にある通潤酒造は、海外販売やネット通販を推進し、独自の商品を開発し「酒蔵エンターテイメント業」にチャレンジしてブランド化も進めた。逆に言えば、この3つを推進してきたからこそ、通潤酒造は山奥の小さな酒蔵でも生き残れたと言えるだろう。

さらに通潤酒造は、本書のテーマであるSLOCシナリオを見事に実行している。このように山奥にある小さな酒蔵でも、地域資源を活かした商品開発をし、全国に情報発信して若い世代ともつながりを持つように努力し続けることで、ビジネスの幅が広がるのだ。

次に、山下が山都町に招いたIT企業、MARUKUについて話を進めよう。

IT企業が山都町で創業

通潤酒造の一角に、山都町に本社を置くIT企業、株式会社MARUKUがある。代表取締役の小山光由樹(みつゆき)は、1984年生まれで神奈川県出身。大学卒業後は広告代理店に3年間勤務したあと、1年間カナダに滞在する。小山はカナダに行った理由について、「海外で文化や人と出会い、多様な感性に触れてみたかったから」と語る。カナダから帰国後は、渋谷でネット広告やSNSマーケティングを行うIT企業2社を起業した。そのうちの1社の仕事でセミナー開催を請け負い、2016年8月に福岡を訪れた。そこで通潤酒造のネット通販担当の菊池と出会ったのだ。

福岡でのセミナー後に、菊池は社長の山下と相談して、通潤酒造のネット通販を改善するために、小山を山都町に招いた。そして小山は、2016年8月に東京から初めて山都町を訪れたのである。小山は、通潤酒造が被災した様子や山都町の被災状況を目の当たりにし、山下ともじっくり話し意気投合したという。また小山は帰京する飛行機上から熊本の町を見下ろし、多くの家々にブルーシートがかかっているのを目にした。熊本から羽田に帰る機内で、山都町や熊本県の復興に自分がどう役立てるかをずっと考えつづけ、羽田に着くころには熊本のことが自分事になっていたという。その後、小山は6か月かけて熊本県の産業構造や、IT技術で熊本の復興にどのようなことができるかについて綿密な調査をし、自分がIT事業を通じて熊本県の復興に貢献できることを確信した。山都町は過疎高齢化が進み、かつ熊本地震で被災した町であるが、小山はその山都町にあえて本社を置き、地方の産業構造にIT産業を加えて多様性を持たせたいと強く思うに至った。大きな人生の決断だったが、東京での激しい競争社会に比べて、これから始まる熊本でのビジネス展開には、可能性とやりがいを感じていたという。

小山は東京で関わっていた2つの事業を譲渡して、2017年7月に新たに株式会社MARUKUを熊本県山都町に設立した。設立にあたっては、熊本県や山都町から起業に関する支援金を受けた。また山都町のMARUKUのオフィスは、通潤酒造の空いていたスペースを山下が提供している。

MARUKUという社名は、インターネットの活用で都市と地方の情報格差をなくし、いろんな人たちが手を取り合って大きな輪をつくり、多様性のある社会を創っていきたいという想いから名付けたものである。また山都町のような山間部ではアパート等がなく、住むところに苦労する。そのためMARUKUは、スタッフが移住や短期滞在するためのシェアハウスを新たに山都町に設けている。

山奥に光ファイバーを整備

熊本県内には14市と31町村があるが、当時山都町ともう一つの自治体だけに光ファイバーが来ていないという状況だった。熊本地震以前から、山下は町や商工会などと協力して、山都町に光ファイバーが来るようにNTTに働きかけていた。「山都町は宮崎県との県境にあり、熊本市と延岡市を結ぶ交通の要所である。もし南海トラフ地震が起きて宮崎県沿岸部に被害が発生した場合には、山都町が熊本県側の支援の最前線になる。その山都町に光ファイバーが来ていないと、ここで情報が隔絶されることになり、防災面から問題である」というロジックを各方面に説得したのである。こうした努力の結果、小山が山都町にオフィスを設ける時には、山都町に光ファイバーが敷設されることが決まっていた。

なお山都町でNTTの光コラボレーション事業者となった株式会社「まちづくりやべ」も面白い。「まちづくりやべ」は、設立当初は介護サービスや地域の憩いの場を提供していたが、国の施策で地籍調査の民間委託が始まり、これを手掛けることで年商約5000万円、利益も約1000万円をあげる優良企業になっていた。すなわち、「まちづくりやべ」は地籍調査事業でコンスタントに利益を出している「優良な山奥ビジネス」だったのだ。この「まちづくりやべ」は光コラボレーション事業者として、2017年から山都町の約100法人、個人約500軒に光回線を販売し、光ファイバー事業での年商も約5000万円になっている。NTTの光コラボレーション事業者は主に通信会社であり、まちづくり会社がしているのは全国でもここだけだそうだ。すなわち「まちづくりやべ」自体も、「ユニークな山奥ビジネス」なのである。

古民家や廃校をシェアオフィスに転換

話をIT企業のMARUKUに戻すと、MARUKUは山都町に本社を置き、主に熊本県南地域をICT（情報通信技術）で活性化することを目指している。政令指定都市である熊本市や大規模工場が集積している県北地域とは違い、県南地域には産業発展に対する地域課題がある。そのためＭＡＲＵＫＵは、熊本県や自治体と連携して、県南地域に企業誘致をしている。２０１９年10月には、八代市の商店街にある古民家ギャラリーをリノベーションして、ＭＡＲＵＫＵ八代オフィスにした。ここにはＭＡＲＵＫＵの社員7名が勤務しているが、小山が誘致した別の会社の社員も5名働いており、いわばシェアオフィスとなっているのだ。また敷地内にある蔵には、別のＩＴ企業が入居している。

さらにＭＡＲＵＫＵは熊本県南部にある海辺の町、芦北町と連携関係を結んでいる。芦北町では、廃校となった小学校をリノベーションし、ＩＴ企業のシェアオフィスにしている。小山は自分のＩＴ関係の人脈を活かして進出企業を招き、そして進出した企業の満足度を高める。そして進出した企業が次の企業を呼ぶ仕組みを形成することで、ＩＴ企業の誘致に成功しているのだ。このシェアオフィスは八代湾に面した海が見える廃校跡地で、ここで働くエンジニアは自然豊かな環境でリフレッシュしながらＩＴ業務に従事している。ＭＡＲＵＫＵはこうした企業誘致活動以外にも、熊本県内の自治体や法人のＷＥＢ関係の事業を受託し、地方創生に役立つ自社プロダクトも開発している。例えばＬＩＮＥの機能を活用したデジタルスタンプラリー「ｍａｗａｒｕ」は、熊本県

芦北町の廃校を活用したシェアオフィス（写真提供：MARUKU）

内の自治体や法人で採用されている。

実はＭＡＲＵＫＵは採用の強化と企業の成長を図るために、起業2年目に東京・五反田にもオフィスを開設している。そして代表の小山は、「スタッフのＩＴ技術力向上のために、ハードルが少し高い仕事を受注するようにしています」と語っている。起業から5年目の2021年に、ＭＡＲＵＫＵの年商は約2億円を超えるまでに成長している。

熊本に移住したMARUKUの若者たち

ＭＡＲＵＫＵでは、様々なバックグラウンドを持つ若者たちが熊本に移住して活躍している。取締役の有川さおりは、長崎県長崎市出身。美大への進学を機に上京、その後港区六本木での飲食店経営と、ＩＴ関係の仕事の二刀流生活を送っていた。その後飲食店は譲渡してＩＴ企業の経営に専念していた。有川は、２０１６年テレビ画面越しに熊本地震の被害の大きさを目の当たりにして、「同じ九州出身者として、単発の寄付やボランティアだけではなく、中長期的な視点で熊本のためにできることはないか」ずっと考えていたという。そんなある日、仕事で知り合った小山から「ＩＴの力で共に熊本を復興しませんか」という電話をもらった。「即座にＯＫしました。むしろ、『声をかけてくれてありがとう』という感じでした」と有川は語る。有川は小山と共にＭＡＲＵＫＵを立ち上げ、取締役として制作部門の統括をし、東京と山都町との2拠点生活をしている。

八代市にある古民家オフィスに勤務する松井海香は神奈川県出身、新卒で大手旅行会社に入社し12年間勤務した。２０２０年からの新型コロナウィルスの感染拡大で、旅行需要減少による業績悪化という厳しい状況を経験する。転職活動を始めた松井は偶然、熊本県にあるＩＴ企業、ＭＡＲＵＫＵが人材募集をしていることを知った。もともと地方創生に興味があった松井は、ＭＡＲＵＫＵに入社することを決意する。現在、松井は八代市の商店街にある古民家オフィスに配属され、自治体や企業への営業活動を担当している。「八代は熊本県で第二の都市なので、車さえあれば、日常生活には何も不自由しません」と都会育ちの松井は語る。休日にはサーフィンをするために宮崎県や鹿児島県に出かけるなど、公私ともに楽しんでいるそうだ。

奄美大島出身の前島大和は福岡の大学卒業後、海外への憧れが強かったので、ワーキングホリデー制度を利用しカナダのバンクーバーに移住した。前島はバンクーバーでは飲食関係の仕事をしていたが、日本人のネットワークを通じてＭＡＲＵＫＵ代表の小山と知り合ったという。前島はその後、アメリカ・オレゴン州ポートランドでラーメン店の立ち上げに関わったが、結婚するために日本に帰国することになった。そこでＭＡＲＵＫＵ代表の小山とコンタクトしたところ、小山から山都町にあるＭＡＲＵＫＵで働かないかと誘われた。前島は、山都町が自分の名前（大和）と同じ音であ

夜の熊本城とMARUKUの社員たち
（写真提供：MARUKU）

ったことから縁を感じたが、偶然にも奄美大島の幼馴染が山都町で農業をしていたという別の縁まであった。前島は2018年にポートランドから山都町に移住し、営業担当としてMARUKUに勤務している。現在は山都町のオフィスに近いところに一軒家を借りて、妻と子供2人とともに住んでいる。さらに前島は山都町で空いていたスナック店舗を借りて、「土曜日だけスパイスカレーの店を営業する」というユニークな副業をしている。毎週土曜日に開店し、15食から30食くらいのスパイスカレーを用意する。また山都町で開催されるマルシェなどに出店して60食くらい販売することもある。前島は「山都町でITの仕事をしていても、自治体や企業とか限られた人たちとしか交流がありません。スパイスカレー屋はお金を稼ぐというより、地域の人たちとのコミュニケーションのためにやっています」と語る。

山都町にあるMARUKUのオフィスにはIT技術者が勤務しているが、いずれも山都町出身者だ。彼らはもともと東京や熊本などで働いていたが、山都町にMARUKUができたのでUターンし、入社して働いている。このように小山の呼びかけやMARUKUの存在で、様々な実務経験を持つ多才なプレイヤーたちが熊本県にIターンやUターンで移住し、山奥の山都町や八代市の古民家オフィス、芦北町の廃校を活用したシェアオフィスで働いている。ＭＡＲＵＫＵは熊本と東京にオフィスを開設して地方と都市を結び、人材や企業を熊本県に呼び込むことに成功しており、本書のテーマであるＳＬＯＣシナリオを見事に実現している。

ＭＡＲＵＫＵが短期間に熊本で事業を立ち上げられたのは、まず通潤酒造の山下が敷地内の空スペースをオフィスとして提供し、そして山都町の人たちも空き家をＭＡＲＵＫＵのスタッフに積極的に貸したことが大きい。つまり山下や山都町の人たちは、外から来た若い世代にオープンに接したのだ。また八代オフィスも商店街にある素敵な古民家ギャラリーのオーナーが「ぜひ使って欲しい」と提供したという。ＩＴ企業が地方に移転して発展するためには、このようにオフィスや空き家を積極的に提供することと同時に、移転してきた企業に地域の仕事を与えることも非常に重要である。

はじまりの場所

ＭＡＲＵＫＵのホームページでは、最初に「はじまりの場所」という言葉が、通潤橋の写真とともに出てくる。これには小山のある特別な想いが込められているという。実は「蛍丸」という大ヒット商品を生み出し通潤酒造のネット通販を拡大した菊池一哲が、

2019年1月に難病のため34歳という若さで亡くなったのだ。2016年の熊本地震後に、福岡のセミナーで菊池と出会ったことがきっかけで、熊本県でビジネスを展開することになった小山は、想いを込めて「はじまりの場所」という言葉をMARUKUのホームページで最初に出しているのだという。また通潤酒造の山下も、「菊池君がいなければ、今の通潤酒造はありません。今でも菊池君が『おはようございます』と、出社してくるような気がしています」と有能な社員だった菊池を悼んでいる。

「人とストーリーが、行動を促す」熊本の山奥、山都町で始まった新しいストーリーは、人々の想いをつないで、これからも続いていく。

第二章　石川県能登町

「あの山の上はいい、あそこでは体も心も元気になる。そして、また人生を楽しむことができるんだ」

『アルプスの少女ハイジ』ヨハンナ・シュピリ著（松永美穂訳）

奥能登の山の上にある牧場で育った柴野大造（たいぞう）は、２０１７年にイタリアで開催されたジェラートの世界大会で総合優勝し、「ジェラートの世界チャンピオン」となった。「イタリアで開催されるジェラート大会で日本人が優勝する」ことは、「日本で開催される寿司職人大会でイタリア人が優勝する」くらい驚異的なことである。

石川県能登町出身の柴野は「こんな田舎から逃げ出したい」と東京の大学に進学したが、奥能登産の生乳の美味しさに目覚めてＵターンし、ジェラート事業を起業した。その後、イタリアに毎年通いながら地元食材を活かしたジェラートの製法を究めて世界一のジェラート職人となったのである。

「地域食材の美味しさを多くの人に伝えたい」と考える生産者は、全国にたくさんいるのではないだろうか。製菓学校にも行かなかった柴野が、どのようにして世界一のジェラート職人になったのか、これから何を目指すのか、詳しく見ていこう。

石川県の中心地、金沢から車で2時間ほど走ると、能登町にあるマルガージェラート能登本店に着く。人口1万6000人弱の能登町は町全体が過疎地域に指定され、2014年出版の『地方消滅』では石川県で一番消滅可能性が高いとされた自治体である。能登町の人気ジェラート店、マルガージェラート能登本店は幹線道路から脇道に入った目立たないところにあるが、客が次々と訪れている。

私は前著『六方よし経営』の取材で同じ能登町にある数馬酒造に2021年3月に行き、その途中で、「世界一のジェラート職人」がいるマルガージェラート能登本店に立ち寄った。その時は能登プレミアムミルクとグランピスタチオのジェラートをダブル（450円）で買ったが、サービスでもう1つのフレーバーをひとさじ分つけてくれると言われた。そこで私は季節限定の「奥能登ふきのとうのジェラート」を選んだ。正直、おそるおそる食べた「奥能登ふきのとうのジェラート」は、ふきのとうの新鮮な香りとほろ苦さがあり、「ふきのとうが、こんなにも美味しいジェラートになるのか」と感激した思い出がある。もちろん能登プレミアムミルクとグランピスタチオのジェラートも本当に美味しかったが、早春の奥能登で食べたふきのとうのジェラートは、柴野が目指す「食べた瞬間に風景が浮かぶような、五感で感じるジェラート」そのものだった。

奥能登から飛び出したかった子供時代

株式会社マルガー代表取締役で、世界一のジェラート職人となった柴野大造は、1975年生まれで能登町出身である。柴野の父親は輪島市出身で、東京農業大学で博士号を取得したが研究者の道には進まずに、能登町で放牧による山地酪農を始めた。奥能登にある標高137メートルの山の上にある牧場で放牧し、のびのび育てたホルシュタイン乳牛からこだわりの生乳を生産していた。牧場の売上は2000万円から3000万円だったが借入金が1億円もある状態で、牧場経営は楽ではなかったという。4人きょうだいの長男で弟と2人の妹がいる柴野は、学校から帰ると牧場の草刈りや牛への餌やりなどの牧場の仕事を手伝っていたが、奥能登の牧場での生活が嫌でたまらず、「こんな田舎から早く逃げ出したい」とずっと思っていたという。

山の上の牧場での柴野きょうだい。一番右が柴野大造（写真提供：本人）

柴野は輪島高校を卒業後、東京農業大学に進学した。大学では酪農ではなく国際農業開発を専攻して、砂漠緑地化や熱帯雨林の農業について学んだという。その時のことを、「とにかく『国際』とつく学問が学びたかったんです」と柴野は語る。また柴野は東京では、カップラーメンを食べて缶コーヒーを飲むような生活を送っていたそうだ。

奥能登産の生乳の美味しさに目覚める

柴野は大学3年生の夏休みに、奥能登の実家に帰省して酪農を手伝った。その時に、自宅の冷蔵庫にあった搾りたての生乳を飲んで、奥能登産の生乳の美味しさに改めて気づき、衝撃を受けたという。また牛舎のかたわらに見慣れないジェラート製造機が置いてあり、そこには試作したジェラートがあった。柴野が一口食べてみるとその濃厚な美味しさに驚いた。

父親から「地域の酪農家たちが取り組んでいる6次産業化のパイロット事業で、ジェラートを試作している。お前がやってみるか?」と聞かれた。奥能登の生乳の美味しさを別のかたちで表現できると考えた柴野は、東京農業大学を卒業すると実家に戻り、酪農を手伝いながらジェラート事業を始めることにした。

ジェラートとアイスクリームの違い

ここでジェラートとアイスクリームの違いを明らかにしておこう。「アイスクリームは乳脂肪が多くて濃厚で、ジェラートは乳脂肪が少なくあっさりとした味わい」と思っている人が多いのではないだろうか。アイスクリームの乳脂肪率は15%前後で、空気含有率が60%以上と高い。一方、ジェラートは乳脂肪率が3%から10%で、空気含有率が20~30%と低いのである。

日本では乳脂肪率によって商品分類しており、ジェラートは乳脂肪率が低い「アイスミルク」という分類になる。しかしアイスクリームよりジェラートの方が空気含有率が低いため、素材の濃厚な味わいがダイレクトに舌に伝わる。また柴野は、「工業製品であるアイスクリームと、職人の手作りであるジェラートは対極にあります」とその違いを説明する。

奥能登でジェラート店を開業

帰郷した翌年の2000年に、柴野は牧場の生乳を使った「マルガージェラート能登本店」をオープンした。柴野の家族は輪島のカトリック教会に通っており、その教会のイタリア人神父が「マルガージェラート」と名付けてくれたのだ。「MALGA」は、イタリア語で「小高い丘の上にある小さな牧場・小屋」という意味である。本来の発音は「マルガ」であるが、日本語で言いやすいように「マルガージェラート」と伸ばすことにしたという。

マルガージェラート能登本店は町中にあるロケーションではなかったので集客にはとても苦労し、特に冬場は一日にお客が数人ということもあった。柴野はジェラートを近所のスーパーで出張販売するなど、必死の努力を続けた。牧場経営を助けるために始めたジェラート事業がかえって足を引っ張る状況になり、柴野は両親にたいして申し訳なく思う気持ちが強かったという。

２００２年にＮＨＫ大河ドラマ『利家とまつ～加賀百万石物語～』が放映され、関連イベントへの出店で「能登の塩ジェラート」がヒットするなどして、ジェラート店の経営は徐々に軌道に乗った。また２００４年には金沢市に隣接する野々市市に2号店を開業し、柴野は奥能登産の美味しいジェラート作りに日々奮闘していた。

イタリアのジェラート大会への挑戦

経営はまだまだ苦しい状況だったが、柴野は２００７年に初めてジェラートの本場、イタリアに行くことを決意する。最初は団体ツアーに参加したが、通訳だったイタリア在住の日本人女性から「イタリアではジェラートの大会が毎年開催されている」という情報を教えてもらった。また町のジェラート店に飛び込みで訪れて製法などについて質問したが、その時は全く相手にされなかったという。

柴野は２００９年にイタリアのジェラート大会に初めて参加し、それから毎年挑戦し続けた。最初の5年間は全く入賞できず、失意のまま帰国していた。「そんな時にも『なぜ負けたのだろう』と、そこから必ず何かを学び、『昨日より今日は素敵な一日にしよう』と前を見つめていました。その頃の心の成長が、今の僕の根幹を支えてくれています」と柴野は述懐する。何かに挑戦しても結果が出ない時期は、誰にとっても苦しいものだ。挫折してもくじけない心を「レジリエンス」というが、それは最初から備わっているものではなく、柴野がそうだったように、数々の挫折を乗り越え、時間を重ねて培っていくものなのだろう。

ちなみに柴野は製菓学校に行かずに、独学でジェラート作りを進めていた。またイタリアでジェラート大会へ参加するには、イタリア語でのコミュニケーションが欠かせないが、そのイタリア語も独学である。「イタリア人のジェラート職人が話したことを、そのまま繰り返して単語や発音を覚えました。また日本でジェラート作りをする際にもレシピを必ずイタリア語で書くようにすると、ジェラート職人とも即座にイタリア語で会話ができるようになりました。ジェラート大会でのスピーチは、あらかじめイタリア語で原稿を用意して、それを暗記しました」と柴野は語る。

突破口となった「ジェラート・イリュージョン」

イタリアのジェラート大会で突破口になったのは、柴野が「ジェラート・イリュージョン」というパフォーマンスを披露したことである。地元の商工会から「シンガポールで石川県の産物のイベント催事があるので出展しないか」という誘いがあり、柴野は2009年にシンガポールで液体窒素を使った「ジェラート・イリュージョン」を初めて披露した。

「なぜ液体窒素を使った『ジェラート・イリュージョン』を思いついたのか」と質問すると、牧場で育った柴野にとって液体窒素は身近な存在だったという。牧場では牛の繁殖も行っているため、人工授精のために牡牛の精子を保管しており、常に液体窒素が置いてあったのだ。柴野はジェラートのベースに液体窒素を加え、急速に冷却してジェラートを完成させるということを遊びでやっていたという。

そしてシンガポール伊勢丹での出展中に、一人の客から「来年シンガポールでイタリアレストランを開業するので、ジェラート・イリュー

ジェラート・イリュージョンを披露する柴野大造（写真提供：本人）

ジョンをやってほしい」と声がかかった。それから柴野はジェラート・イリュージョンをより本格的なパフォーマンスにするべく、音楽も自分で編集して完成度を高めていった。その後、日本国内でもジェラート・イリュージョンでイベントに呼ばれたり、テレビ番組に取材されたりして注目されるようになる。

柴野は「ある経営者から『誰にも負けない何かを持ちなさい』というアドバイスをもらったことがあります。その言葉がずっと頭の中にあり、『ジェラート・イリュージョン』というパフォーマンスにつながったと思います」と語る。

2012年にイタリアのジェラート大会で、ジェラート・イリュージョンを披露することを主催者に頼みこみ、なんとかやらせてもらうことになった。柴野がジェラート・イリュージョンを披露すると会場からは拍手喝采が起こり、終了後には会場の人たちから握手を求められたり写真を一緒に撮られたりして、初めて手ごたえを感じたという。その様子を見ていた一人の老人が柴野に近寄り、「君はなかなか面白い、大会が終わったら私のラボに来なさい」と言われた。その人はジェラート界の巨匠ティト・ペンネストリで、彼のラボはレッジョ・ディ・カラブリアにある。そこは、イタリア半島をブーツに例えればブーツのつま先に当たる場所だ。

イタリアのジェラート大会で優勝した柴野(左)と弟(右)(写真提供：本人)

柴野は帰りの飛行機の便を変更して、レッジョ・ディ・カラブリアにある巨匠ティト・ペンネストリのラボまで会いに行った。そこでジェラートの巨匠から「ジェラートには最適な水分率と固形分率があり、科学的な根拠に基づく組成理論がある」と教えられる。それから柴野はイタリア語のジェラート専門書を辞書を引きながら読んで、巨匠から指摘された組成理論を学んだ。組成理論に基づいて柴野がジェラートを作り始めると、２０１４年のイタリアでのジェラート大会のピスタチオ部門で初めて10位入賞を果たすことができ、また２０１５年にはジェラート日本チャンピオンにもなった。そして組成理論に自らの感性を加えてジェラート作りを究めていくと、ついに2017年イタリア最大のジェラート大会「シャーベス・フェスティバル」でアジア人として初めて総合1位、すなわち世界チャンピオンとなったのである。

世界一となった時に柴野が作ったジェラートは、「りんごとパインとセロリのジェラート」であった。りんごとパインの組み合わせにセロリを加えることについては、イタリア人のジェラート職人仲間からも、柴野の家族からも大反対されたという。それでも柴野は「ジェラートは食後のデザートとして、さわやかな口当たりとともに消化を促す意味もあります。セロリは消化を高めるとともに、味のアクセントとして欠かせないと判断しました」と語る。柴野の独創的な判断が功を奏し、意外性のある組み合わせのジェラートは大会の審査員から世界一という評価を受けることになったのである。

ショッピングモールへの出店をすべて断る理由

こうして世界一のジェラート職人となった柴野だが、ジェラートを作るときは組成理論に基づき常に計算機を片手に割合を計算している。なぜならば能登産の生乳は季節によって乳脂肪率が異なり、また自然素材も入荷状況によって同じではないからだ。マルガージェラートは石川県内の直営2店舗での販売の他に、通販とジェラートのOEM生産を行い、現在の年商は2億円を超えて、売上は伸び続けている。

そして柴野のもとには毎日のように「都会のショッピングモールに出店しないか」と電話がかかってくるが、すべて断っているという。「世界一になったからといって、石川県から出て全国展開するなんてカッコ悪いでしょ」と柴野は笑うが、モール出店をしない理由はそれだけではない。柴野は石川県から美味しいものを発信していくことに意義を感じており、「作りたてのジェラートを食べに、石川県に来て欲しい」という強い気持ちを持っているのだ。

柴野のジェラート作りの原点は、「目の前にいる人に、美味しいジェラートを提供して喜ばせたい」ということにある。まだ売れていないころの能登本店に、「私は病気で余命宣告されていますが、ここのジェラートが食べたくて来たんですよ」という客がいたという。柴野は売上の最大化ではなく、「地方のジェラート職人としてどう生きるべきか」という姿勢を追求しており、その姿勢はイタリア各地で活躍しているジェラート職人たちと同じなのである。

「ジェラート自然科学研究所」という夢

柴野には65歳までに叶えたい夢があるという。柴野が育った奥能登の山の上の牧場は、経営難から10年ほど前に手放しており、今は太陽光発電パネルが並んでいる。柴野の夢は、65歳までにその土地を買い戻し、そこにジェラートを学ぶための「ジェラート自然科学研究所」を設立することだ。

「ジェラートを作る技術や理論は、いくらでも教えることができます。ただそれだけでは美味しいジェラートはできません。素材の美味しさをどのように活かしていくか、豊かな感性を育てることが重要です。自分が育った奥能登の山の上にもう一度牧場をつくり、ジェラート職人たちが牛の温かい乳を搾って、ハーブや野菜や果物などの材料を育て養蜂もする。ジェラート作りの理論を学びながら、感性を育てる学校を作りたいのです」と柴野は語る。

さらに柴野は、「イタリアでは、ジェラート職人は『マエストロ』と呼ばれます。『マエストロ』は、素材と向き合い感性を研ぎ澄ませ、自然からの恵みを前にタクトを振るのです」と力説する。ジェラート職人が自然とともに生き、感性を磨き、誇りをもって働ける未来を作ることが柴野の夢なのだ。

ところでこの章の冒頭では『アルプスの少女ハイジ』から、クララの主治医クラッセン先生がアルムについて語った言葉、「あの山の上はいい、あそこでは体も心も元気になる。そして、また人生を楽しむことができるんだ」を引用した。この言葉は、柴野が奥能登の山の上で開く「ジェラート自然科学研究所」の想いに通じると思う。実はイタリア語の「マルガＭａｌｇａ」は、ドイツ語では「アルムＡｌｍ（山の上の牧場）」という意味なのである。

「イタリアのマエストロから学んだことは、ジェラートの組成理論だけではありません。ジェラート作りには『パッショーネ（情熱）』『アモーレ（愛）』『ファンタジーア（想像力）』が大事であることを教わりました。その3つの要素が融合したものが、職人の魂がこもった食品、ジェラートなのです」とイタリアで越境学習したことを、柴野は語っている。柴野が作るジェラートが、多くの人を魅了する理由がここにあると思う。遠くてもマルガージェラートの能登本店に足を運び、奥能登の風景の中で、職人の魂がこもったジェラートを食べたくなる。

第三章　北海道岩見沢市美流渡地区

「この世の生き物はほとんどの時間と労力を食べるものを探すことに使っています。生きることは食べること。食べなければ生きてはいけないし、自分の命を養えない。その単純で明快な原理を黙々と生きています。（中略）

進化とか発展とか文明とかを否定するつもりはないのですが、太古から人間の心はあまり変わっていないと私は思っています。奥底でずっと願っていることは『ほんとうに』生きたい、『真剣に』生きたい、『いきいきと命を燃やして』生きたいということなのではないかと思っています。」

『さるが　いっぴき』「月刊予約絵本こどものとも」作者のことば
ＭＡＹＡＭＡＸＸ著

北海道岩見沢市郊外、山奥の過疎地である美流渡(みると)地区（以下、美流渡）では、１９９８年に移住した中川達也・文江夫妻が「ミルトコッペ」というパン工房を始め、開店前に行列ができる人気店となっている。また東京の美術出版社で働いていた編集者の來嶋（くるしま）路子や画家のＭＡＹＡ ＭＡＸＸも美流渡に移住し、廃校となった旧美流渡中学校を舞台に、地域の様々な人たちを巻き込んで魅力的なアート活動を展開している。山奥の過疎地で、なぜそうした仕事やアート活動が可能なのか、それぞれの移住の理由や生き方をみていこう。

北海道の岩見沢は札幌駅と旭川駅をつなぐ函館本線沿いにあり、札幌駅から特急で25分のところにある。日本海側から雪雲が入り込み夕張山地に当たるため、岩見沢は北海道有数の豪雪地帯となっている。岩見沢から車で30分ほど夕張方面に向かうと、炭鉱で栄え国鉄万字線が走っていた東部丘陵地域に入る。

　この東部丘陵地域にある美流渡地区にもかつて炭鉱があり、ピーク時には1万人以上が暮らし、多くの商店や飲食店、映画館まであったという。１９６６年に炭鉱が閉山となり、１９８５年には国鉄万字線が廃線となったことで、過疎化と少子高齢化が急速に進んだ。現在の美流渡の人口は４００人を切っており、２０１９年3月には美流渡小学校と美流渡中学校は閉校となった。美流渡小学校の児童数は約１７００人だったこともあるそうだが、閉校当時の児童数は7名、中学校の生徒数は9名となっていた。

美流渡には岩見沢市の出張所や診療所、郵便局があり東部丘陵地域の中心地であるが、コンビニやスーパーはなく昔からの商店や飲食店が数軒営業している。最近は美流渡で移住者が様々なビジネスを始め、カフェやスープカレーの店、花のアトリエ、ゲストハウスなどができてきた。そうした移住者たちの先駆けである、「ミルトコッペ」というパン工房の中川夫妻の話から始めよう。

中川夫妻が脱サラ起業した理由

1998年3月末に、中川達也・文江夫妻が息子2人を連れ、美流渡に移住した。中川夫妻は2人とも1960年生まれ、新潟県出身でNTTに勤務していた中川達也は、北海道出身で看護師の中川文江と東京で出会って結婚した。「いつか北海道でペンションをやりたい」という共通の夢を2人は持っており、そのために少しずつ貯金をしていた。夢の実現のために、まず札幌への転勤を希望し、それがかなって2人は札幌に住んでいた。達也は札幌で安定したサラリーマン生活を送り、文江は専業主婦になり息子2人を生んで育てていた。

30代に入ったある日、達也が「俺たちは、こんな当たり前の人生でよかったのか」と言い出したという。文江も「確かに。かつて私たちには夢があったよね」と思うようになった。夢を実現することから逃げていることに気が付いた2人は、安定したサラリーマン生活を捨てることを決意する。すでにペンションブームは去っていたのでペンション経営はあきらめたが、もともと料理のセンスがあった達也がパン工房をやることを提案する。達也が子供の頃、近所のお菓子屋がコッペパンを焼いて売っていた。ある日達也が買いに行くと、店の棚にはいつものコッペパンがなかった。店の人に少し待つように言われて待っていると、焼き立てのコッペパンを出してくれた。達也はその時の「あったかくて、こうばしくて、柔らかい」コッペパンの美味しさが忘れられないという。こうしてパン職人になることを決意した達也は、１９９２年にＮＴＴを退職しパンの修業を始め

中川達也・文江夫妻（写真提供：本人）

た。

中川夫妻は「夢を叶える」というだけで、起業したわけではない。1990年代はバブル経済が崩壊し、社会情勢や価値観が大きく変動していた時代だった。「2人の息子に、たくましく生きていく力を与えたい、自然の中で山猿のように育てたかったんです」と文江は語る。また文江の父は、古い家電を修理してリサイクルし、DIYで家を直すことを趣味としていた。北海道でも空き家が増えていることが報じられており、文江は「移住してパン工房をするなら、郊外にある空き家を活用したいと思っていました」という。

「熊しか買いに来ない」と地元の人が忠告

2人はパン工房を開業するための「郊外にある空き家」を求めて、いろんな人に声をかけた。すると知人の1人が岩見沢市郊外の美流渡を紹介してくれた。知人と一緒に初めて美流渡を訪れた中川夫妻は、この土地が持つ独特の空気感に一目惚れしたという。「北海道というと広大な平原というイメージがありますが、美流渡は丘陵地帯で美しい林が広がり、『まるで軽井沢みたい』と思いました」と文江は述懐する。

その知人は、さらに町内会長で陶芸家の塚本竜玄（1933年～2013年）を紹介してくれた。塚本は1986年から美流渡に移住し「ミルトアートパーク」構想を提唱し、美流渡をアートの地とする活動をしていた。その頃の美流渡には、陶芸家やガラス細工作家などのアーティストたちが移住して創作活動をしていたそうだ。中川夫妻は塚本にここでパン屋をやりたいことを話すと、「君たちは正気か？　ここでパン屋をやっても、熊しか買いに来ない。絶対に生活していけないよ」と忠告された。それでも中川夫妻は、「ここでしかできないことをして生活をしたい。これからはそういう時代なんです。自信があります」と熱い想いを訴えた。地元の人たちも2人の熱意に押され、中川夫妻はかつて町内会館だった古い木造家屋を譲り受けることができた。

その木造家屋は築60年以上で約70畳、30畳分は床の一部は抜け落ち、壁も崩れていた。達也はＤＩＹが得意な文江の父の力を借りて、約半年をかけてこの古い家屋をパン工房にリフォームした。残りの40畳に家族４人で住んだが、ボットン便所でお風呂もなかった。自宅を改修する資金がなかったため、ボットン便所はそのまま使い、お風呂は近所にある温泉に通うことにした。

以前の札幌での生活では水洗トイレで毎日お風呂に入る生活だったが、移住当時10歳と7歳だった2人の息子には「これからは貧乏生活をするよ」と宣言したという。当時のことを「『北の国から』に『幸福（しあわせ）の黄色いハンカチ』と『男はつらいよ』を足した、ドラマのような生活が始まりました。2人の息子たちは、たくましく育ちましたよ」と文江は笑いながら話す。中川一家がすごいところは、こうした劇的な生活の変化を、むしろ楽しんでいたところである。

「惚れて通えば千里も一里」

「ミルトコッペ」というパン工房を1998年10月に開業すると、あまりにも山奥にパン屋ができたことが珍しかったため、新聞社が6社も取材に来た。新聞で紹介されると、今度は地元のテレビ局やラジオ、雑誌が取材に来て、2004年3月には当時の人気番組『どっちの料理ショー』でも紹介されたという。こうしたメディア紹介でミルトコッペは開店以来、全く広告宣伝をせずに札幌や旭川、北海道外からもお客が来るパン工房となった。

人気の理由は山奥にあるという物珍しさだけではなく、達也が焼くパンの素朴なおいしさにもある。ミルトコッペのパンは、天然酵母を使ったパン生地を12時間じっくりと発酵させ、薪窯で焼き上げる。実はミルトコッペのパン作りでは、電気もガスも使っていない。前日に達也が30キロの小麦粉を手でこねて、常温で発酵させて、石を積み上げた薪窯で焼くので、いわば「縄文人がパンを作っているのと同じやりかた」なのだ。自然の力と、人間の知恵と感性で焼かれるミルトコッペのパンは、外はパリっと焼きあがり、小麦の美味しさをしみじみ感じるパンである。

ミルトコッペは岩見沢市内から車で30分ほどの山奥にあるが、10時の開店前から行列ができ、午前中には売り切れてしまう。達也の体力的な問題があり、現在は木曜日から日曜日までの週4日営業で、しかも4月下旬から10月までの半年しか営業していない。1年前に通販を止めたので、ミルトコッペのパンを買うためには4月下旬から10月の営業日に美流渡まで行って、開店前に並んで買うしかない。

「惚れて通えば千里も一里」というが、山奥の過疎地にあっても人気店となっているミルトコッペは、まさに「山奥ビジネスの神髄」である。

「どんな仕事でも一生懸命やる、うそをつかない、ご縁を大切にする」

パン工房の開店当時は収入が不安定だったため、文江は家計を支えるために高速バスで札幌に通勤し、介護関係の会社にOLとして3年間勤めた。その期間は夫の達也が主に家事育児をしていたという。文江はこの勤め以外にも看護予備校の講師や農作業手伝いなどの仕事をし、週末だけミルトコッペの販売を手伝っていた。また息子たちが食べ盛りの頃には、週に1日だけスーパーの店員として働き、報酬の代わりに廃棄予定の食品をもらって、食費を大幅に節約していたこともある。

文江はこのように掛け持ちで仕事をしても、どの仕事も楽しんでやるポジティブな女性だ。さらに長男が大学に進学したタイミングで、文江は以前から興味を持っていたリンパドレナージュ・セラピストの民間資格を取るため、東京に3か月ほど通うことにした。リンパドレナージュとは、全身の老廃物を手技でリンパ節に流していく施術である。文江はこの資格を取得後、岩見沢市でリンパドレナージュのサロンを開いた。現在は世田谷区に一軒家を借り東京で働く長男一家と家賃をシェアし、月に10日ほど上京してサロンを運営している。いろんな仕事をやってきた文江だが、看護師の知識を活かしながら、まさに「手当て」をして人々を元気にしていくリンパドレナージュ・セラピストという天職に出合い、美流渡と世田谷区にサロンを持って2拠点生活をエンジョイしている。

これまでどのような想いでこうした仕事をしてきたかを文江に尋ねると、「どんな仕事でも一生懸命やる、うそをつかない、ご縁を大切にすることです」と語る。これはパン職人の達也にも通じることであろう。テレビなどで紹介されてミルトコッペにお客が殺到していた時期、達也は朝と午後の2回パンを焼いていた。しかし、「午後焼きのパンはおいしくない」と達也は感じたので、朝1回だけパンを焼くことに戻した。午後焼きのパンを食べても、おそらく味の違いは客には判らないだろう。またミルトコッペの主力製品、コッペパンは手のひら大で、ずっしりと重い。それでも1個120円、レーズンやくるみ、豆が入ったコッペパンは150円で販売している。都市部だったら1個300円で売っていてもおかしくない美味しいコッペパンなので、値上げをすれば収入をもっと増やせるだろう。しかし、「こんな山奥まで、中には札幌や旭川から高速道路を走って買いに来ていただいているのだから、パンを高く売りたくない」というのが、パン職人の達也の考えなのだ。自分の舌に忠実で、客にも誠実なパン職人の達也と、その姿勢を尊重して家計に必要なお金を稼ぎ、今は天職といえる仕事をしている文江は、ビジネスをしながらも「お金以外の大切なこと」を尊重している素敵な夫婦である。

おしゃれなパン工房とログハウスを手に入れる

中川夫妻が最初に移住した木造家屋は築60年以上の古い建物で、いつかは壊れる危険性があった。そこで達也は、2008年から新しいパン工房の建設に着手する。大工に基礎構造と屋根を作ってもらったあとは、自分で札幌軟石を積み上げ漆喰の壁を塗り、10年かけてヨーロッパの森にあるようなおしゃれなパン工房を作り上げた。当初は自宅も兼ねる予定だったが、パン工房近くにあるログハウスが売りに出されたため、想定外だったが2015年に購入した。もともとこのログハウスは岩見沢の実業家がバブル期に別荘として建てたもので、数年前から売りに出されていた。しかし過疎地にある大型物件であったため、なかなか売れなかったという。文江は「こんな立派なログハウスが、空き家になるのはもったいない」と思い、札幌や東京の知り合いにも紹介したが買い手はつかなかった。中川夫妻がこのログハウスを内覧すると、持ち主の想いがつまった素晴らしい建築物であることが分かった。

幸い売却価格が下がっていたこともあり、中川夫妻はこのログハウスを自宅として購入することにした。文江はここでリンパドレナージュのサロンを開き、またミニコンサートや映画上映などのイベントを開催することもある。かつて貧乏生活を経験した息子たちがこのログハウスに帰省すると、「うちもずいぶん贅沢な暮らしになったなあ」とあきれるそうだ。

中川夫妻は築60年以上の木造家屋での節約生活から始めて夫婦で地道に働き続け、20年後には美流渡におしゃれなパン工房とログハウスを手に入れた。中川夫妻は、好きな場所でやりたい仕事をし、傍目には不便に見える生活も「まるで冒険をしているようなワクワクする日々だった」と語る。これから地方に移住する人たちは、新天地での生活を楽しみながら、生活の基盤を築いていった中川夫妻をぜひ参考にして欲しい。

新しいミルトコッペのパン工房（写真提供：本人）

廃校となった旧美流渡中学校でアートプロジェクト

美流渡の魅力は、ミルトコッペだけではない。

2021年10月と翌年のゴールデンウィーク中、廃校となった旧美流渡中学校を舞台に「みんなとMAYA MAXX展」と地元の人たちによる「みる・とーぶ展」が開催され、美流渡に住む人たちの作品の販売やアフリカ太鼓の演奏が行われた。美流渡は人口400人を切った山奥の過疎地でありながら、こんなにも多彩な人々が住んで様々な創作活動をしていることに驚かされる。15日間の来場者数は、2021年の第一回が約1000人で、2022年の第二回は約2000人と倍増したという。このアートプロジェクトの中心となっているのは、東京から移住した編集者の來嶋路子と、來嶋の誘いで2020年7月から美流渡に移住した画家のMAYA MAXXである。

東日本大震災をきっかけに北海道に移住

編集者の來嶋路子は1972年生まれで、東京都出身である。小さい頃から絵を描くことが好きで、都立芸術高校から東京造形大学に進学した。在学中にキャンパスの移転があり、キャンパス跡地を活用したアートイベントが開催されたが、來嶋はイベントの主催者として活躍する。このアートイベントをきっかけに美術出版社とのつながりができ、大学4年生からアルバイトをすることになった。大学卒業後もそのまま美術出版社

東京から移住した編集者・來嶋路子（撮影：佐々木育弥　写真提供：本人）

でアルバイトを続け、数年後に社員として採用された。

美術出版社は１９０５年に水彩画の普及を目的とした「みづゑ」という雑誌を創刊したのが発祥である。「みづゑ」は日本の近代美術に影響を与えてきたが、１９９２年から休刊となっていた。絵が好きな來嶋の提案で２００１年に新装復刊することになり、來嶋は29歳で「みづゑ」の編集長に抜擢される。そして來嶋は新装復刊第一号の表紙を画家のＭＡＹＡ ＭＡＸＸに依頼したが、これが２人の出会いとなった。來嶋は２００８年に「美術手帖」の副編集長となり、また美術書の編集も手掛け多忙な日々を送っていた。

２０１１年３月11日、來嶋は生後５か月の長男の育児休業中で、マンションの5階で激しい揺れを経験した。原発事故が起こり各地にホットスポットが発生したというニュースを耳にして、來嶋は幼子とどこで生活すればいいかを真剣に考えるようになる。大学時代に知り合って結婚した夫の出身地が北海道岩見沢市であることから、北海道への移住が現実的な選択肢だった。

育児休業後の面談で、來嶋は経営者に「北海道に引っ越して、在宅勤務をしたい」と申し出たところ認められ、2011年7月には家族3人で岩見沢市内の夫の実家に引っ越すことになった。來嶋は月に1度上京し、1週間ほど東京の実家に滞在して打合せなどの仕事をし、残りの3週間は岩見沢で仕事を在宅でするようになる。岩見沢市は新千歳空港まで車で約1時間30分、新千歳空港と羽田空港間は格安の航空機便も頻繁に飛んでおり、移動時間やコストはそれほど負担ではなかった。しかし、編集者としての仕事は相変わらずハードで、來嶋はせっかく北海道に移住しても生活を楽しむ余裕がなかったという。

「森の出版社ミチクル」を開始

2015年に会社の業績が悪化し、來嶋はフリーランスの編集者として独立することになった。幸いなことに独立しても今までのつながりから、本や雑誌の編集の仕事を紹介してもらえたという。そして仕事の上で転機となったのは、２０１６年に岩見沢市郊外の山を友人と共同で買ったことだ。東京から來嶋の友人が岩見沢に遊びに来ると元気になって帰っていくこともあり、ここで仲間が集って癒されるようなエコヴィレッジがあればと來嶋は考えていた。農家をしている友人も山を買うことに興味があり、岩見沢市郊外の8ヘクタールの山地を紹介されて、その友人と共同で購入した。

「北海道に、山を買ったんです」と來嶋が仕事関係の人に話すと、興味を持ってくれる人が多かった。東京都出身でインドア派の來嶋にとっては、山を買った経験そのものが面白く、世界が広がった感覚があったという。そこで「森の出版社ミチクル」を設立し、『山を買う』という小さな本を出版した。

「森の出版社ミチクル」は法人ではなく、來嶋の個人的なプロジェクトである。『山を買う』は手のひらサイズの24ページの本で、來嶋が手書きで絵と文を書いた。初版100冊印刷すると地元の新聞に紹介記事が掲載され、個人的に「買いたい」というメールが來嶋に届いた。その読者に本を郵送すると、來嶋のもとに本の感想がダイレクトに届くようになる。

來嶋が東京の出版社で経験してきた本作りは大量生産・大量流通システムで、出版された本は取次会社のシステムにより自動的に書店に配本される。どんな人が本を読んでいるかは作り手にはわかりにくく、単に販売部数だけが評価となる。來嶋は『山を買う』を出版して今までとは違う本づくりの喜びを感じ、「手紙を渡すように本を届けたい」という気持ちに至った。來嶋自身、「出版社という仕事は、都会だからこそできる仕事だと思っていた」が、「森の出版社ミチクル」では「山あいだからこそできる『新しい土着性のある出版社』でありたい」と語る。

また來嶋は北海道に山を購入しエコヴィレッジを企画したことがきっかけで、「ローカル・地域」をテーマにした『コロカル』というウェブマガジンに記事を連載することになった。今まで編集者としての仕事は、いわば黒子の存在だったが、今ではライターとして自分の名前で、北海道新聞やJR北海道車内誌などに記事を寄稿している。また岩見沢市にある北海道教育大学の岩見沢校には芸術・スポーツ文化学科があり、來嶋は美術関係の講座で非常勤講師をつとめたこともある。独立して収入は会社員時代と比べると減ったが、仕事の幅は大きく広がったという。

私生活では來嶋は購入した山の近くに住みたいと希望し、岩見沢市郊外で家探しを始めた。空き家をあっせんするＮＰＯを通じて美流渡にある空き家を紹介され、その家や美流渡の雰囲気が気に入ったため、移住することを決めた。大工をしている來嶋の夫が2年ほどかけてリフォームし、岩見沢移住後に生まれた娘2人も加わり、一家5人で２０１８年に美流渡に移住した。移住後は、地域のＰＲ活動をする任意団体「みる・とーぶ」代表となり、東部丘陵地域を紹介するパンフレットを作成し、旧美流渡中学校の活用プロジェクトにも積極的に取り組んでいる。

画家のＭＡＹＡ ＭＡＸＸが移住

画家で絵本作家のＭＡＹＡ ＭＡＸＸは、２０２０年7月に美流渡に移住した。移住のきっかけは、廃校となった美流渡中学校の教員住宅を岩見沢市が取り壊す計画があり、２０１９年12月に來嶋が友人であるＭＡＹＡ ＭＡＸＸに「アトリエや住居として借りてはどうか」と誘ったことだった。來嶋との関係ですでに何回か美流渡を訪れていたＭＡＹＡ ＭＡＸＸは、北海道という未知の土地に広いアトリエを持つことに魅力を感じたが、当初は東京との二拠点生活を考えていた。しかし２０２０年春に新型コロナウィルス感染拡大で美流渡と東京を行き来することが難しくなり、ＭＡＹＡ ＭＡＸＸは東京の住居を引き払って美流渡への移住を決意した。

私はこの取材以前に、画家のＭＡＹＡ ＭＡＸＸのことを全く知らなかった。ＭＡＹＡ ＭＡＸＸはアート作品を発表するだけでなく絵本作家でもあり、またテレビ番組『ポンキッキーズ』やＮＨＫの若者向けトーク番組に出演していたので、若い世代に人気があるそうだ。私が今回ＭＡＹＡ ＭＡＸＸを取材して驚いたのは、ＭＡＹＡ ＭＡＸＸが28歳から全くの独学で、絵を描き始めたということだ。

ＭＡＹＡ ＭＡＸＸは愛媛県今治市出身で１９６１年生まれ、実家は繁華街でパチンコ屋を経営していた。本好きで学校の成績も良い優等生だったが、絵を描くことが好きだったとか、絵が褒められたということはなかったそうだ。むしろ文章を書くことが得意で、将来は文章を書く仕事につくことを考えていたという。確かに本章の冒頭のＭＡＹＡ ＭＡＸＸの文章はとても明快である。高校卒業後に上京して早稲田大学教育学部に入学、卒業後は就職せずにアルバイト生活を送った。就職しなかった理由についてＭＡＹＡ ＭＡＸＸは、「自営業ばかりの環境で育ち、会社に就職するイメージが持てなかったから」だそうだ。

アルバイトに明け暮れる生活の中で転機となったのは、ある画廊で38歳の若さで逝去した画家の個展を見て、その絵の美しさに心を奪われたことだった。その日のうちに画材を買いに行き、絵を描き始めた。といってもすぐに絵を描くことで生活が成り立ったわけではない。暗中模索の日々を経て、朝4時間だけ清掃のアルバイトを始めて規則正しい生活を送るようになると、自分が描きたい絵が描けるようになった。

またＭＡＹＡ ＭＡＸＸという名前は、寝ているときにその文字が夢に出てきたという。それからはＭＡＹＡ ＭＡＸＸを名乗り、実際にＭＡＹＡ ＭＡＸＸというアーティストになっていく。１９９３年にＭＡＹＡ ＭＡＸＸは東京・高井戸の画廊で初めての個展を開き、それがきっかけで吉本ばななの本の装丁やロック歌手のＣＤジャケットを描く機会に恵まれた。その後も毎年個展を開き、１９９９年にラフォーレミュージアム原宿で開催した個展では約1万２０００人の来場者数を記録する。そして人気テレビ番組『ポンキッキーズ』やＮＨＫの若者向けトーク番組に出演したり絵本を出版したりして、ＭＡＹＡ ＭＡＸＸの絵と言葉は若い世代の支持を得ていく。

友人である來嶋の誘いで、豪雪地帯の美流渡に移住したＭＡＹＡ ＭＡＸＸだが、移住に迷いがなかったかと質問すると、「なんでも直感で決めている」と語る。ＭＡＹＡ

ＭＡＸＸが美流渡に移住した経緯については、『移住は冒険だった』という本に詳しいが、その本は來嶋の「森の出版社ミチクル」から出版したものだ。

そして取材時に、こんなエピソードを話してくれた。ＭＡＹＡ ＭＡＸＸがある雑誌の取材を受けた際、取材者の女性は「実は時代小説を書きたいんです」と話したという。「それが本当にやりたいことなんでしょう？ だったらそれをやればいいじゃない」とＭＡＹＡ ＭＡＸＸは言い、彼女の背中を押した。その女性は時代小説を書き始めて作家となり、後に直木賞を受賞した。全くの独学で自分が描きたい絵を描き続けるＭＡＹＡ ＭＡＸＸの「型にはまらない」アートと言葉は、人の人生にこのような影響力を持つのだろう。

美流渡に移住してから、ＭＡＹＡ ＭＡＸＸは精力的に絵を描き続けている。廃校となった旧美流渡中学校には、雪でガラスが割れないように1階の窓にすべて雪除けの窓板が張られていた。それがなんとも殺風景であったため、窓板をすべて白いペンキで塗った下地に、ＭＡＹＡ ＭＡＸＸは赤と青のペンキで縄文のような模様や愛らしい熊の絵などを描いている（写真）。こうして廃校の窓板をキャンバスに、過疎の町に鮮やかなアート作品が出来上がった。「絵を描いてまちじゅうを美術館にしたい」というＭＡＹ

MAYA MAXXが旧美流渡中学校の窓板に描いたアート作品
（写真提供：來嶋路子）

A MAXXは、美流渡にある店舗のシャッターやお寺の看板にも絵を描き、また岩見沢市の依頼でコミュニティーバスにも絵を描いている。

人生はワクワクする冒険

この章の冒頭のMAYA MAXXの文にあるように、「生きることは食べること」である。人間は「生きていくために働いてお金を稼ぎ、そのお金で食べ物を買って食べていく」わけだが、実際の生活では食べるだけでなく衣食住全般にお金がかかり、子供がいれば教育費の負担も加わる。するといつの間にか「お金が安定的に、できるだけたくさん得られるように働くこと」が目的化してしまっている。

本来はＭＡＹＡ　ＭＡＸＸの文章にあるように、「自分の命を養うために食べ」、そして「『いきいきと命を燃やして』生きたい」というシンプルな想いが根底にあるはずだ。ミルトコッペの中川夫妻や來嶋路子、ＭＡＹＡ　ＭＡＸＸなど、過疎地の美流渡で生き生きと活動している人たちは、自分の頭と手を動かして仕事をし、夢を持って人生の選択をしている。移住には当然リスクはあるが、移住を冒険ととらえて、ワクワクしながら人生を送っているのだ。

美流渡という地名の由来は、おそらくアイヌの言葉と推測されるが、詳しくはわかっていない。美流渡に移住した人たちは「土地に呼ばれた」とか「美流渡に入って空気が変わった」という言葉を口にするそうだ。彼らが土地の人たちと交じり合いながら、多様な活動をしているのを目の当たりにすると、美流渡には「美しい土地に、人が流れ渡る」という意味合いがあると感じる。もともと炭鉱町で多くの人が働きに来て、そして出て行った美流渡であるが、土地の魅力やそこに住む人々が新たな移住者を呼び込み、住民の自発的な活動で地域が活性化している。美流渡は、本書のキーコンセプトであるＳＬＯＣシナリオが実現している素晴らしい事例と言える。

第四章　島根県大田市大森町

「この山深い大森町に、わざわざ遠方から足を運んでくださるお客様がいる。『デパートで商品を見た時に、感じるものがあったんです。こういう場所でそういう考え方で作られていたんですね。やっと分かりました』。そう言って納得される方が多い。ものに託したメッセージは不確かではあるが、なにかしら伝わっていると信じる。私達の作るものは大量生産品に比べれば高い。しかし、せめてすぐにごみになってしまうものだけは絶対に作りたくない。消費者もものを選ぶ際に『安さ』という経済的な物差しの他に、もう一つ『身近に置いて心が満たされ、長く愛着を持てそうなものか』という精神的な物差しを持ってほしいと思う」

群言堂2006年盛夏展示会案内状より

島根県大田市大森町にある石見銀山は、江戸時代初期には全世界の銀の約3分の1を産出していたと伝えられる。当時の銀山一帯の人口は約20万人だったと推定されているが、現在この地区の人口はわずか400人弱となっている。2007年に石見銀山は世界遺産に登録されたが、この章の山奥ビジネス、株式会社石見銀山生活文化研究所（ブランド名は「石見銀山 群言堂」、以下、群言堂とする）の本社は、石見銀山がある大森町にある。群言堂は全国のデパートやショッピングモールに直営店30店舗以上を展開し、年商約24億円にまで成長した山奥ビジネスである。

大森町出身の松場大吉と三重県出身の妻、松場登美が、二人三脚で築き上げてきた生活文化産業のブランド、群言堂は石見銀山での暮らしそのものをコンセプトとして、アパレルや食品、化粧品、生活雑貨を企画販売している。そしてそれらを体験できる「暮らす宿　他郷（たきょう）阿部家」という宿泊施設を大森町で運営する。デザイナーの登美は大量生産・大量消費には背を向けて自らが着たい服をデザインし、全国の産地に生地を発注して国内縫製にこだわる。登美の作り手としての想いは、この章の冒頭で紹介した展示会案内状の通りであり、「ハイバリュー・ローインパクト」という言葉にもつながっている。

松場大吉と松場登美

石見銀山にある群言堂のワークステーションで、群言堂の創業者である松場夫妻をインタビュー取材した。登美は開口一番、「私がハギレから小間物を作って、大吉さんが行商して売ってきたでしょう。そんな風に商売を始めたから、私たちはお金がないことが、ちっとも怖くないんですよ」と語り出した。登美の言葉の通り、松場夫妻は山奥で内職と行商からビジネスを始めた。群言堂が山奥に本社を置きながら、全国に30店舗以上の直営店を持つまでに成長できたのは、常に時代の流れを読みながら、ブランドの立ち位置を明確に打ち出してきたことが大きい。

松場大吉は1953年生まれ、島根県大田市大森町出身で三人兄弟の長男である。大森町にある大吉の実家は呉服屋だったが、寝具や下着なども売り、塩や切手、たばこなども手広く商っていた。大吉の祖母は早くに夫を亡くし、一人で呉服屋を切り盛りしたそうだ。その祖母から大吉は「家を継ぐように」と幼いころから言い聞かされて育ち、「小学校に入る頃には、弟たちに『将来、家を継ぐ』と宣言していました」と大吉は語る。大吉は大森町の小学校を卒業した後、中学校は町外に、高校は大田市内に通って、少しずつ世界が広がっていったという。名古屋の大学に進学して、大吉は当時日本で展開し始めたばかりのミスタードーナツでアルバイトとして働いた。20人近いアルバイトのシフト表の作成を担当するなど、学生でありながらかなり仕事を任されていた。

松場登美（旧姓横山）は大吉よりも4歳年上の1949年生まれ、三重県津市出身で四人姉妹の末っ子である。登美が生まれる前に父親は怪我がもとで働けなくなり、母親が豆腐屋を始めた。働き者の母親は、朝早くから豆腐を自宅の台所で作って売りに出て、売れ残った豆腐はがんもどきにして販売し生計を立てていた。登美の姉がその事業を継ぎ、工場を設立した。現在、登美の姪が社長をしている三重県津市の横山食品は、がんもどき製造の大手メーカーとなっている。登美は「うちは女系家族で皆働き者、女性が商売をするのが当たり前だった」と語る。

子供の頃の登美は学校での団体行動が苦手で、一人で絵を描くことが好きだったという。地元の商業高校に進んで美術部に入り、顧問の先生から個性をほめられたことから、自分を出せるようになってきた。登美の同級生は、登美がビジネスに成功してメディアに紹介されているのを見て、「あなたは個性的だったから、きっと将来何かやる人だと思っていた」と語ったそうだ。

登美は高校卒業後に津市の画材店に勤め、売れない画家から作品を借りて店の額縁にいれ喫茶店などに絵をリースするなど、新しいビジネスのアイディアを次々と実行して成功する。登美が仕入れたものは良く売れたため、大阪の問屋に仕入れに行く仕事も任

群言堂本店前の松場大吉と松場登美（写真提供：群言堂）

された。また登美が店で売り方を工夫すると、その商品はあっというまに売り切れたという。そのうち名古屋のギャラリー経営者にスカウトされて、そのギャラリーに勤めることになりオリジナル商品の開発に力を入れた。このように登美は実践でビジネスを学び、また社長も仕事を任せてくれたため、朝早くから夜中まで仕事に没頭し、勤務先は4店舗になるまでビジネスを拡大したという。

大吉と登美は、実は名古屋で同じアパートの隣合わせに住んでいたが、大学生と社会人だったため顔を合わせる機会がなかった。そのアパートで下着が盗まれることが起き、登美は隣に住んでいる人物を確かめるために、買ったスイカを半分に切ってお裾分けした。

そのことがきっかけで2人は意気投合し、それぞれがやっている商売の話を毎晩遅くまで話し合うようになり、お互いの部屋を行き来する仲になる。そのうち登美が妊娠したが、大吉はまだ大学生だった。今でこそ「できちゃった結婚」は、ある程度受け入れられているが、当時はまだ保守的な時代である。大吉は島根の実家に帰り、4歳年上の女性との間に子供ができて結婚することを伝えると、両親からは勘当同然となり、実家からの仕送りは途絶えてしまった。

ブラハウスの創業と大森町への帰郷

1975年に長女が生まれ、大吉はアルバイトをしながら、なんとか大学を卒業した。しかしすでに妻子がいたため、就職先がなかなか決まらなかった。それでも知人の紹介で名古屋にある製菓会社に就職することができ、大吉はその会社で営業を担当した。大吉はお菓子の営業をするうちに、おいしいお菓子を売っているのか、お菓子が入った段ボールを売っているのかわからなくなったという。そこで4年間の会社勤めのあと、登美が始めていたエプロンにアップリケをつける内職を、「ブラハウス」というブランド名で一緒にやることにする。「ブラ」というのはフィジー語で「やあ!」という意味で

大森町全景（写真提供：群言堂）

元気な良いイメージであったことと、また当時は「○○ハウス」というアパレルが流行していたので、「ブラハウス」というブランド名にしたという。「ブラハウス」は次第に事業が大きくなり、内職の女性たちを50人も抱えていた。

そこまで「ブラハウス」が大きくなった時点で、大吉は「この仕事は都会よりも田舎でやった方が発展するのではないか」と考えるようになる。また子供が成長して島根の実家との関係も良くなってきたことから、1981年に大吉と登美は名古屋での事業を閉じて、大吉の実家がある大森町へ帰郷した。その時に登美は「大森町は、まるで廃墟のようだった」と感じたが、「なぜか、私はこの町が最初から好きでしたよ」とも語る。

転機となった東京の展示会への出展

大森町に帰郷し、引き続き「ブラハウス」というブランドで事業を続けた。名古屋から持ってきた大量の端切れから、ウサギやクマがついた可愛いポーチやエプロンなどを内職の女性たちが作り、大吉がワゴン車で広島駅や松江駅の構内で行商していた。ある日広島に行商に行った帰り、大森町に入る際に大吉が以下のようなキャッチコピーを思いついたという。「私たちは石見銀山を愛し、この地に根を下ろしたものづくりをしてゆきたいと考えています」。このキャッチコピーは、今でも群言堂で大切にされている。

大吉と登美は大森町で必死に働いていたが、経営はなかなか楽にならない。そんな時、名古屋から遊びに来た友人から「東京・晴海でやっているジャパンテックス（インテリアの展示会）に出展してみたら」とアドバイスされた。大吉は東京での展示会には一度も行ったことがないにもかかわらず出展を決め、思い切って2区画60万円分を確保して、1987年12月に出展した。展示会場に大森町から背負いかごや鍬、瓦などの古道具を持ち込み、田舎の素朴さを演出して独自の世界観を作り出した。そこにカントリー調で手作り感溢れるポーチやエプロン、ティッシュケースなどブラハウスの商品を並べた。すると百貨店、小売店、商社などのバイヤーから「ぜひ取り扱いたい」という引き合いが数多くあり、なかには「ブランドごと買いたい」というところまであったという。

様々な業種のバイヤーの名刺をもらった大吉は、すぐに取引を始めずに相手を慎重に選んだ。そして大きな商社や問屋ではなく、自分たちと同じ目線を持っている比較的小規模な店を、地域配分を考えながら全国から30ほど選び直接取引を始めた。その後は取引先に石見銀山の展示会に毎年来てもらうようにした。大吉はこのようにして取引先を回る営業担当を置かずに、全国の取引先と効率的に付き合うシステムを確立したのである。展示会をきっかけに飛躍的に売上を伸ばす企業はあるが、取引先を慎重に選んで関係性を強固にし、山奥に取引先を招いて展示会を開く形式を確立した大吉の経営手法は実に見事である。

ブラハウスから群言堂へ

東京での展示会をきっかけに、ブラハウスを「差別化・可視化・ブランド化」して業績を伸ばし、売上は約4億円になった。1990年代に入っても売上の数字は好調に推移していたが、経営者である大吉は、以前と比べて顧客の反応が変化していることを感じていた。またブラハウスの製品そっくりの中国産の商品が、安く出回るようにもなっていた。ブラハウスの主な顧客層は子育てをしている30歳前後の主婦層だったが、松場夫妻はすでに40歳を過ぎて、ウサギやクマの可愛いアップリケがついたエプロンが似合わない世代になっていたこともある。次第に松場夫妻は、自分たちの暮らしや地域性、年齢にあった洋服や雑貨などを提供したいという気持ちになっていたという。そしてまだブラハウスの売上が落ちていない時期に、以下のような3つのプロセスを経て、「ブラハウスから群言堂へ」とブランドと事業内容を大転換した。

まず大吉は、1994年5月広島のそごうデパートに「ビーチコーマー」という直営店を出した。「ビーチコーマー」というのは大吉のあだ名で、「海岸に落ちているものを拾って集める人」という意味の英語である。その店は、ブラハウスの商品だけでなく他のメーカーの様々な雑貨を扱うセレクトショップだった。幸い売上は順調で、大吉は直営店での販売方法やディスプレイなどについて様々なことを学んだ。

登美もタイ在住の日本人染色家の作品に出合ったのをきっかけに、1994年10月にタイを訪問する。そして染色家に会うこととは別に、チェンマイ郊外の「美しい竹の村」という工房を訪問した。その工房を作ったタイ人女性は、土地の女性たちがバンコクなどの都市に出稼ぎに行かなくても、その土地で糸を草木染めし織物をして生活ができることを実践していた。国は違っても、「その地方ならではの、ものづくりをする女性たち」に、登美は大いに刺激を受けたそうだ。

また同じ時期に、松場夫妻は大森町内に古い小さな家を購入した。そしてその家には電気もガスも水道も引かずに、「無邪く庵」と名付けて客人を招いていた。当時、松場家でホームステイをしていた中国人留学生から、「大吉さんの生き方は、『群言堂』だね」と言われたという。独裁者の一言でものごとが決まるのが「一言堂」、いろんな人が考えを述べながらも一つの方向性を作っていくのが「群言堂」とのことだ。

「アパレルに関しては素人同然だった私たちが新ブランド設立に踏み出せたのは、余計なものをそぎ落とした無邪く庵で、自分たちの本当に進みたい未来が見えたこと、その場所で『群言堂』という言葉に出合ったことが大きかった」と大吉は述懐する。群言堂はその言葉の由来が素晴らしい。さらに登美は「ブランドは濁音が入るといいと言われており、群言堂だと濁音が3つもある。それにデパートやショッピングモールにはカタカナのブランドが多いから、漢字の群言堂は目立つんですよ」と説明を加えた。

製造小売業に転換

群言堂ブランドを立ち上げて、今までのブラハウスの卸先に群言堂のアパレル製品も取り扱ってもらうようにお願いしたが、雑貨がメインの取引先からの反応は芳しくなかった。そこで大吉は自社で直接販売していくことを決意する。１９９４年６月に、再び東京の見本市に出展し、群言堂をブランドとして披露する。この時も大森町から古民家の縁側や建具を会場に持ち込むと大評判となり、その展示会でディスプレイ大賞を受賞した。こうして大吉と登美は、雑貨を製造販売するブラハウスから、大人の女性用のアパレルを企画し販売する製造小売業（ＳＰＡ）、群言堂へとビジネスを大転換した。群言堂は、東京の見本市で声がかかった横浜そごうを皮切りに、１９９６年から各地のデパートやショッピングモールへと出店していく。

松場夫妻は売上４億円まで成長させた雑貨のブラハウスを５年間かけてゼロにし、新しく群言堂というアパレルの製造小売業を起業した。こうして群言堂は、松場登美がデザインした、「大人の女性のためのアパレルブランド」となった。

ブラハウスの売上がまだ落ちていなかった段階で時代の変化を先読みし、新たに群言堂ブランドを立ち上げた大吉の経営判断は素晴らしいと思う。しかし全くの独学で大人の女性のための洋服をデザインし、群言堂ブランドを確立していった登美の商品デザイン力も驚異的である。このことについて登美は「私は成人式に振袖ではなく、自分がデザインした洋服を着たという原体験がありました。また1995年当時、自分が着たいような素材で、着心地の良い洋服が売っていなかったので、自分で着たい洋服をデザインしていったんです」と語る。松場夫妻が持つ卓越したビジネスセンスやデザインセンス、そして売上が落ちる前に時代の流れを読んで、新しいブランドを創出していったのは見事な経営実践である。

松場夫妻は1995年から群言堂というブランドで、今までやったことがないデパートでの直営店の販売を始めた。販売スタッフの募集や運営では様々な困難に直面したが、ひとつひとつ乗り越えていったという。製造については1000個単位で製造する雑貨と同じ感覚で、一色について500枚単位でドレスを製造してしまい、5年間近く在庫の山になったこともあったそうだ。またデパートでの直営店に加えて、初めての路面店を石見銀山と大きなギャップのある六本木に出店したが、賃料が非常に高く5年間で1億円もの累損を負ったこともある。幸いにも群言堂の売上はスタート時から好調だったので、こうした損失もカバーできたとのことだ。

衣食住を通して「生活の美」を伝える

群言堂は、登美がデザインする「大人の女性のためのアパレルブランド」として新しい展開が始まったが、前述したように企業としてのミッションは変わらず、「私たちは石見銀山を愛し、この地に根を下ろしたものづくりをしてゆきたいと考えています」ということだった。さらに群言堂は、アパレルから生活雑貨、島根県の食品や化粧品などの販売を手がける生活文化産業としてビジネスを展開していった。そして衣食住に加え、「生活の美」を提供することを目指している。登美は大森町にある築230年以上の武家屋敷を10年以上かけて再生し、「暮らす宿　他郷阿部家」という宿泊施設にし、宿泊者をもてなしている。「暮らす宿　他郷阿部家」では登美の目指す「生活の美」が至るところに実現され、東京から移住した料理人、小野寺拓郎が地元の食材を使った料理をふるまう。「暮らす宿　他郷阿部家」では、群言堂が提供する衣食住のすべてが体験でき、また登美が考える「生活の美」が体験できるのだ。筆者も取材時に宿泊したが、事前にＷＥＢなどで写真を見ても実感できない、登美が作り上げた独特の世界観を味わうことができた。

子育て世代が移住

1981年に松場夫妻がUターンした時に大森町は人口500人くらいであったが、その後減り続け、現在は400人弱となっている。しかしここ10年間で大きくは減っておらず、大森町にある保育園や小学校に通う子供の数も増えた。人口が400人まで減った地域なら、第三章の美流渡地区がそうだったように、小学校が廃校になることもある。次頁のデータのように、大森町には子育て世代の転入があり子供が生まれているので、社会増減が自然増減を上回っている（町人口自体は、大森町から大田市内への転居等があるため減っている）。また大森町にある保育園は一時、園児数が2名となり廃園の可能性があったが、現在の園児数は25名となった。そして大森小学校は児童数14名であるが、今後の児童数は増えていく見込みである。

具体的に大森町の子育て世代の移住例を挙げよう。群言堂が運営する「暮らす宿　他郷阿部家」の料理人、小野寺拓郎は2014年に大森町に単身赴任した。小野寺は大森町での暮らしが気に入り、しばらくして家族を呼び寄せ今や4人の子供の父親となり、

	社会増	社会減	自然増	自然減	社会増減	自然増減	
	転入	転出	出生数	死亡数	純増	純増	町人口
2012年度	9	7	4	9	2	-5	411
2013年度	19	7	4	5	12	-1	407
2014年度	23	14	6	2	9	4	410
2015年度	18	13	6	4	5	2	409
2016年度	16	18	3	3	-2	0	398
2017年度	11	18	10	6	-7	4	403
2018年度	16	14	4	9	2	-5	398
2019年度	27	15	4	11	12	-7	404
2020年度	12	15	2	7	-3	-5	397
2021年度	14	6	4	9	8	-5	392
	165	127	47	65	38	-18	

データ提供：大田市役所　※上記データには大田市内への転居等は含まない。

家族で大森町での暮らしを楽しんでいるという。
「三浦編集室」という群言堂広報紙の編集長、三浦類は大学のゼミの教授の勧めで大吉の講演会を聞いたことがきっかけで、夏休みに群言堂で1か月間インターンをした。その間、毎日会社の人や町の人と一緒に夕食を食べて過ごし、卒業後は大森町に住んで群言堂で働きたいと希望して入社した。入社後3年で、大吉から広報紙の編集長を任され、結婚をして子供も生まれた。小野寺や三浦以外にも、群言堂のスタッフや家族が大森町に移住しており、転入数と出生数が増えているのだ。

山奥にあるドイツパンとドイツ菓子の店

人口400人弱の大森町には、群言堂以外に中村ブレイスという義肢製造の会社がある。大森町出身者が起業した会社で、従業員80人規模のメーカーである。中村ブレイスも大森町で古民家再生を積極的に行っており、古民家を音楽ホールや旅館などに再生してきた。大森町にはドイツパンとドイツ菓子の店、「ベッカライ　コンディトライ　ヒダカ」があるが、実はこの店は中村ブレイスが古民家を再生して、移住者家族を招いた店なのである。

「ベッカライ　コンディトライ　ヒダカ」の日高晃作は、1981年生まれで岡山県岡山市出身。大学中退後、いくつかの仕事についたが、たまたま早朝にパン作りをするアルバイトをしたことから、パン職人の道へと進んだ。24歳の時にドイツに渡り、国家資格であるパン製造マイスターを取得する。日高は日本に一時帰国していた時に石川県のパン屋で働き、そこで大森町にかつてあった「中村製パン店」の長男と知り合った。その後、日高はドイツに戻り、菓子製造マイスターを取得していた日本人女性と結婚して、日本に帰国後は広島や東京で働いていた。

「中村製パン店」の長男を通じて、中村ブレイスの当時の社長から「大森町でパン屋をやらないか」と声がかかる。「中村製パン店」の長男はすでに岡山で開業していたので、日高に白羽の矢が立ったのだ。最初は断ったが、せっかく声をかけてもらったからと

2015年2月に日高は石見銀山がある大森町を初めて訪れた。すでに古民家を改修する工事が始まっており、日高は改修工事について具体的な意見を求められたりするうちに、この地でパン屋をするイメージができてきた。しかし人口わずか400人の大森町に移住してパン屋をすることに、日高の家族は大反対したという。店舗の改修から機材購入まで全て中村ブレイスの資金で準備されていたことから、「いっそのこと中村ブレイスの社員としてパン屋をスタートさせて欲しい」と希望したところ、受け入れられたため、日高は大森町にとりあえず単身赴任でやってきた。そして2015年10月に大森町で開業した「ドイツパンの専門店」は、島根県では珍しかったため地元新聞で取り上げられ、開店当初から行列ができる人気店となった。

2016年12月には日高は家族を呼び寄せ、そして2019年秋には中村ブレイスから独立することになった。独立時に店舗やオーブンなどを日高が買い取るのではなく、引き続き中村ブレイスが所有し日高に賃貸してくれることになり、日高は独立にあたって多額の資金は必要ではなかったという。現在は、妻もドイツ菓子や地元の濃厚な牛乳を使ったジェラートを製造している。移住後に子供が生まれて、3人となった。

「ベッカライ　コンディトライ　ヒダカ」という山奥ビジネスは、地元の企業が店舗とパン製造の設備や家を用意し、最初は社員として雇用するという破格の待遇で始まった。この事例からもわかるように、移住してきた専門職の人たちに対して、地元の人たちはオフィスや住居を貸したり、継続して仕事を依頼したり商品を買ったりしてサポートすることが重要である。

山奥ビジネスの極意

群言堂の松場夫妻へのインタビュー取材の最後に、私が「これからの群言堂の展開」について質問をした。大吉は「今まではお客様に対して、私たちの想いを伝えるように努力してきたが、これからは従業員を通じて、私たちの想いを伝えていくようにしなければと思います」と語った。松場夫妻が作り上げた石見銀山での生活と文化を伝える群言堂は、このようにして若い世代に引き継がれていくことだろう。そして取材時に大吉から手渡された「松場大吉が次世代に伝えたいこと12条」を、「山奥ビジネスの極意」として紹介したい。

一、里山を離れることなく事業を進める覚悟を持て

二、業種、業態にしばられるな
三、改革、チャレンジを恐れるな　勇気こそ力である
四、常に日常の暮らしに着目せよ
五、類あって比のない価値を創れ
六、対峙する人が憧れるスタイルを作れ
七、常に若者に投票せよ
八、儲けることは大事だが使い方がもっと大事である
九、「経済49％、文化50％、崇高な理想1％」のバランスを持て
十、どんな判断も里山でおこなえ
十一、紡いできた風景と生活文化を相続せよ
十二、「根のある暮らし」をとことん深く耕すべし

2022

10月の新刊

新潮新書

毎月20日頃発売

10月新刊　4点刊行!

バカと無知　人間、この不都合な生きもの

橘　玲

●968円　610968-3

50万部突破『言ってはいけない』著者の最新作。キャンセルカルチャーは快楽？「子供は純真」か？「きれいごと」だけでは生きられないことを科学的知見から解き明かす。

ドーパミン中毒

アンナ・レンブケ
恩蔵絢子［訳］

●1210円　610969-0

快感に殺される！ゲーム、アイドル、SNSから酒、セックス、ドラッグまで「脳内麻薬」が依存症を呼ぶ――。スタンフォード大教授で依存症医学の世界的第一人者による必読の書。

その対応では会社が傾く
プロが教える危機管理教室

田中優介

●836円　610970-6

「相手の怒りを吸い取る話術」「楽観役、悲観役を決めて未来予測」「社員同士の不倫を見抜くには」――。ゼミナール形式で学ぶ、組織ディフェンスの〝強化書〟。

第二部　魅力的な地域が山奥ビジネスを招く

第五章　新潟県十日町市

「都市には刺激と、興奮と、絶え間ない競争と、大量の消費があります。そこでは人間の感性が開かれ、広がっていくことはない。ただただ平均化させられ、そのなかで選抜され続けていくだけです。
新潟県の越後妻有（えちごつまり）という、過疎の、農業が生業（なりわい）の中山間地に入って芸術祭をやるようになって、それがよくわかるようになりました。与えられた厳しい自然の条件を工夫して生きていくなかで、人々は知恵を働かせ、身体の限りを使い、五感を全開し、助け合っていかなくてはいけないのです」

『ひらく美術　地域と人間のつながりを取り戻す』北川フラム著

ここからの三章では、「大地の芸術祭」の新潟県十日町市（人口約5万人）、「写真の町」の北海道東川（ひがしかわ）町（人口約8500人）、「源流の村」の山梨県小菅村（人口約700人）という3つの自治体を事例として取り上げる。人口規模も立地条件も違う3つの市町村で、どのように地域の魅力を差別化して外から人を招き交流人口を増やしたか、その地域に移住してきた人々がどのように地域にあったビジネスを展開しているか、詳述する。いずれも「はじめに」で提示した、「ハイバリュー・ローインパクト」なプロジェクトを実行し、「ＳＬＯＣ（Small, Local, Open, Connected）シナリオ」が実現している魅力的な地域である。筆者がこの3市町村を事例として選んだ理由は、以下の3点である。

①明快なコンセプトでプロジェクトを20年以上継続して開催し、交流人口を創出し移住につなげている。
②イベント開催を通じて、その地域の高齢者と若い世代、地域内外の人たちが積極的に交流している。
③地域の資源を活かした酒造りが行われ、その風土にあった建築をするデザイナーや設計士がいる。

それでは、山奥ビジネスを巡る旅を、新潟県十日町市から再開しよう。

新潟県南部の十日町市は、信濃川が流れる盆地にあり、日本でも有数の豪雪地帯だ。夏は盆地なので暑く、冬は半年間も雪に閉ざされる厳しい気候の土地である。十日町市では冬の間の内職として越後縮や十日町絣などが生産され、日本有数の着物の産地となった。戦後の高度経済成長期においては十日町市で製造された「黒羽織」は、PTA行事に参加する母親たちの間で大ヒット商品となった。また友禅の手法が導入された高級絹織物も生産されている。このようにバブル経済崩壊まで、十日町市は着物という地場産業で繁栄していた。しかしながらバブル経済が崩壊し着物産業が大幅に衰退するのにつれて、十日町市の人口は減少していき、商店街にはシャッターを下ろした店舗が多くなった。

そして平成の大合併により、2005年4月1日に旧十日町市、川西町、中里村、松代町、松之山町の5市町村が新設合併して十日町市となる。これらの地域には中山間地と呼ばれる山あいの集落が多く、棚田が広がった日本の原風景がまだ残っている。十日町市は高速道路や上越新幹線が通っている魚沼地域から山を越えたところにあり、首都圏からのアクセスは良くなかった。しかし1997年に北越急行ほくほく線が開通すると、新幹線駅の越後湯沢駅と十日町駅やまつだい駅がつながった。こうして上越新幹線を経由して東京へ2時間半くらいで行けるようになり、首都圏からのアクセスは格段に改善したのである。

大反対の中で始まった大地の芸術祭

「大地の芸術祭 越後妻有アートトリエンナーレ」は、妻有と呼ばれる地域を主な舞台に、3年に1度開催される国際的なアートフェスティバルである。妻有とは、新潟県南部の十日町市と津南町のエリアを指す言葉である。しかし妻有は行政上の呼称ではなく、また地名として地図上には出てこない。妻有の由来は諸説あるが、「とどのつまり」や「どんづまり」という説がある。他の地域からアクセスしにくい辺境の地、というわけだ。

そもそも大地の芸術祭が開催されるきっかけは、1990年代後半の国による地方自治体の合併推進だった。国の合併推進の方向性を受けて、新潟県は1994年に「ニューにいがた里創(りそう)プラン」と名付けた事業を立ち上げ、妻有にある4つの市町村と松代町と松之山町との合併を見据えた地域政策を打ち出した。その政策の総合ディレクターとして、新潟県出身でアートによる地域づくりに実績がある北川フラムに白羽の矢が立ったのだ。そして政策の一環として、2000年に第一回の大地の芸術祭が開催された。経緯からわかるように、大地の芸術祭は地元の要望によるものではなく、いわば新潟県が合併推進のために支援したことだったのである。

そのため当初は「現代アートで地域づくり」というコンセプトが住民に理解されず、地元の反対が強かった。例えば大地の芸術祭の第一回の予算規模は3年間で約4億7000万円であるが、「多額の予算を、よくわからない現代アートに使っていいのか」という反対の声があったのだ。北川は「準備を始めてから第一回の大地の芸術祭が終わるまでの4年半に、地域と行政の会議に出た回数が2000回を超えていた」と著書で述懐している。いわば四面楚歌の中、北川や新潟県庁、十日町市役所の職員たちは、6つの市町村の議員、職員、地域の人たちと、これだけの数の話し合いの場を持って、大地の芸術祭の準備を進めていったのである。なお大地の芸術祭は、5つの市町村が合併した新しい十日町市と、最終的には合併しなかった津南町の共同開催であるが、この章では十日町市の活動やビジネス事例に焦点をあてていく。

大地の芸術祭の成功要因

こうして2000年に第一回の大地の芸術祭が開催され、初年度から約16万人が訪れた。年々訪れる人も増えて50万人規模となり、世界最大級のアートプロジェクトと称されている。総合ディレクター北川は大地の芸術祭以外にも、2010年から瀬戸内国際芸術祭、2017年からは北アルプス国際芸術祭（長野県大町市）と奥能登国際芸術祭（石川県珠洲市）など、他の地域にもアートプロジェクトを展開している。このようにアートによる地域創生イベントとして大成功した大地の芸術祭であるが、その成功要因は、以下のようにまとめられる。

①越後妻有全体を美術館に見立てて、分散型でオープンな開催形態にしたこと

参加者は、越後妻有という東京23区に相当する広い里山地区を、アート作品を鑑賞するために散策して回る。言わばアート作品は「地域の魅力を伝える装置」なのだ。

②地元の人たちや文化へのリスペクトがあること

大地の芸術祭に参加するアーティストは、アート作品を展示する候補地の所有者に必ず許可を得なければ、アート作品を展示できないというルールがある。またアート作品

の設置や維持・管理に集落の人たちが参加している。

大地の芸術祭のデータ

		作品数	参加国数	参加集落	入込客数	予算規模	販売収入額
第１回	2000年	153	32	28	16万人	4億7千万円	4千万円
第２回	2003年	220	23	38	20万人	4億4千万円	4千万円
第３回	2006年	334	40	67	35万人	6億7千万円	1億4千万円
第４回	2009年	365	40	92	37万人	5億8千万円	9千万円
第５回	2012年	367	44	102	49万人	4億9千万円	1億6千万円
第６回	2015年	378	35	110	51万人	6億2千万円	1億5千万円
第７回	2018年	380	44	102	54万人	6億7千万円	1億6千万円
第８回	2022年	333	38	未定	NA	6億円	NA

★参加国数は、参加したアーティストの出身国数　★入込客数は、概算
★予算規模は、アート部分（ソフト）のみ　★販売収入は、パスポート・鑑賞券収入額

データ提供：十日町市　株式会社アートフロントギャラリー

③廃校・空き家・棚田といった既存の地域資源を活用してアート作品を作ったこと

大地の芸術祭をきっかけに新しく建設された建物もあるが、多くのアート作品は廃校・空き家・棚田といったその地域にすである資源を活用している。例えば1996年に開業した清津峡渓谷トンネル（左頁の写真）は、来場者数が減っていたところ、2018年にアート作品となったことで来場者数がその前年の4倍以上になったという。そしてこの作品は大地の芸術祭を代表するアート作品ともなっている。

マ・ヤンソン／MADアーキテクツ「Tunnel of Light」
（撮影：Nakamura Osamu　写真提供：大地の芸術祭）

④世界中からアーティストの参加があること

　2000年の初回から参加アーティストの出身国は32か国にものぼり、レベルが高い国際的なアートプロジェクトとして認知された。そのことが、国内外から越後妻有にアート作品を見に来る人を増やすことにつながっている。

⑤期間中に様々なイベントが開催されていること

　大地の芸術祭の期間中は、食に関するワークショップや演劇、踊りなど様々なイベントが開催され、アーティストのトークシ

	大地の芸術祭	リゾート開発や テーマパーク構想
環境への負荷	低い（できるだけ地域資源を活用）	高い（新たに開発）
地域への開放度	開放的	閉鎖的
地域住民との関わり	自発的・ボランティア	雇用関係

ヨーや自然探索ツアーなども開催される。またこうしたイベントは、通年でも開催されるようになった。そしてイベント開催にあたっては、地域のお年寄りたちと都会から来た若い世代が交流する機会にもなっている。

これまでも地方では、大型リゾート開発や「○○○村」といったテーマパークなどを新しく建設し、都会から観光客を呼び込もうとする試みが全国で行われてきた。実際にアートディレクターの北川にも、北海道夕張市のサンタクロース村や岡山県玉野市のスペイン村といった企画が提案されたが、断ったそうだ。ここで大地の芸術祭が支持され継続できた理由を、リゾート開発やテーマパーク構想と比べて考えてみると、表のようになる。

大地の芸術祭は「はじめに」で提示した「ハイバリュー・ローインパクト」であることが明白であろう。また大地の芸術祭は、地域内外の人たちが世代を超えて協働するオープンなプロジェクトであり、幅広く新しいつながりが生まれている。つまり「ＳＬＯＣシナリオ」も見事に実現しているのだ。

交流人口を移住につなげる

大地の芸術祭は、様々な人々を十日町市に呼び込んでいる。まずアート作品の受付や管理をするボランティアの「こへび隊」は、第一回は首都圏の大学生たちが中心だった。今は地元の人々も巻き込んで、高校生から80代までが全国各地から「こへび隊」に参加している。そして海外からも５００人近くが「こへび隊」に参加しているのだ。

また大地の芸術祭の存在は、Ｕターン移住も促進している。統計上は転入・転出しか記録されないため実数の把握は難しいが、「地元が大地の芸術祭で盛り上がっていて、それがＵターンのきっかけになった」という話を聞く。このように十日町市にとって、大地の芸術祭の存在は大きいのである。十日町市役所は、大地の芸術祭から創出された交流人口を移住人口につなげるために２００９年度から総務省が地域おこし協力隊制度を開始すると、初年度から６名を採用している。その後も十日町市はコンスタントに地域おこし協力隊を採用し、２０２１年度まで84名が十日町市で活動している。

また２０１５年には、大地の芸術祭から派生して「ＦＣ越後妻有」というユニークな女子サッカーチームも誕生した。きっかけは、サッカー関係者が大地の芸術祭に来た際に、「担い手の少ない農業とセカンドキャリアの課題を抱えている女子サッカーをかけ合わせられるのでは」という可能性に言及したことによる。そして「農業×女子サッカー」というユニークな農業実業団が実現したのだ。最初は選手２名というところからスタートし、現在は12名の選手が登録し上位リーグで対外試合を行い、将来はなでしこリーグ入りを目指している。ＦＣ越後妻有の選手たちはサッカーの練習とともに、主に「まつだい棚田バンク」で農作業をするが、大地の芸術祭の広報や施設管理の仕事をしている選手もいる。

孫ターンの女性が妻有ビールを起業

十日町市で地域おこし協力隊任期後に、十日町初のクラフトビール醸造会社を起業した事例がある。妻有ビール株式会社代表取締役の高木千歩は、１９７３年に十日町市で生まれた。両親ともに十日町市出身であったが、転勤族だった父親の仕事の関係で、兵庫県や埼玉県などに住んでいた。子供のころ、夏休みに祖父母宅に帰省すると、親戚たちがたくさんのお土産を持たせてくれた温かい思い出があるという。大学卒業後は繊維商社等に勤務した後、大手情報システム会社の関連会社でプロジェクトマネージャーとして働き、充実した毎日を送っていた。

転機となったのは2011年3月の東日本大震災だ。高木が勤務していた青山のオフィスビルは、今まで経験したことがないほど大きく揺れて、その日は帰宅が困難になった。高木は当たり前のように毎日通勤していたが、それが当たり前ではなくなり価値観が変わったという。また父親が同じ3月に急に亡くなり、生前ふるさとの十日町市への想いが強かった父のお墓を十日町に作りたいと思うようになった。高木はそうした様々な想いがあって、自分のルーツがある十日町に移住することを真剣に検討し始めた。

ちょうど十日町市が地域おこし協力隊を募集しており、応募すると採用されて2011年10月には十日町市に移住することになった。地域おこし協力隊というと、今まで関係がなかった地域に赴任する「Iターン」のイメージが強いが、自分の出身地に赴任する「Uターン」や、高木のように親の出身地に赴任する「孫ターン」もあるのだ。高木は地域おこし協力隊に着任して過疎化と高齢化が進む飛渡(とびたり)地区を担当し、地区の農家が作る野菜の美味しさをPRする仕事などに取り組んだ。

高木は2年半の地域おこし協力隊の任期を終えると、4人の共同経営で2014年にレストランを開業した。そこでは十日町産の食材を使い、当時まだ十日町では珍しかったクラフトビールを提供した。しかし大地の芸術祭で十日町を訪れた観光客などから、「十日町産のクラフトビールはないのか」と聞かれるようになる。十日町産のクラフトビールが生産できないかと考えた高木は、全国10か所以上のクラフトビール醸造所を訪問したが、大規模な醸造所が多かった。しかし山梨県の商店街にあるクラフトビール醸造所と出合い、同じように小規模な醸造体制を目指すことにした。

次は資金集めであるが、東京で働いていた会社の元上司たちと飲み会があり、「十日町でクラフトビールを作って地域を活性化したい」という夢を話したところ、幸運なことに元上司2人が高木の夢に投資してくれることになった。また高木は十日町市が開催するビジネスコンテスト「トオコン」にも応募し、「第二創業部門賞」「女性起業家賞」を受賞して支援金100万円も獲得した。さらに地元の金融機関からの融資や、クラウドファンディングを活用したりして、なんとか初期投資額を工面できたという。

2017年1月に高木は「妻有ビール株式会社」を設立し、山梨県のクラフトビール醸造所で約2か月ビール醸造の修業をした。それから酒造免許を取得するまで半年以上かかり、またビール醸造のタンクの輸入にも時間を要した。そして会社設立から1年後の2018年1月に、クラフトビール醸造をやっと始めることができた。髙木は、「定番の『十日町そばエール』は、十日町産のそばの実を地元のそば屋さんに挽いてもらい、それをさらに丁寧にローストしてビールを醸造します。地元産の材料にそこまで手をかけてこだわってこそ、十日町ならではのクラフトビールになるのです」と語る。

妻有ビールの定番3種類（写真提供：妻有ビール株式会社）

妻有ビールの醸造方法は無濾過・非加熱なので賞味期限が短くなってしまうが、それだけ新鮮で美味しいクラフトビールになる。そして醸造開始から2年目の2019年に「ジャパン・グレートビア・アワーズ」に4種類を出品したところ、すべて入賞し、髙木は今までの様々な努力が報われる想いがしたそうだ。

妻有ビールの販売先は十日町市内の酒屋や旅館、飲食店が約60％で、残りが新潟県内の酒屋や首都圏のクラフトビール専門店等である。髙木は「お客様に馴染みの飲み屋に、『妻有ビールを取り扱って』とリクエストしていただいて、販路が広がってきました。お客様にそのような形で営業をサポートしてもらい、十日町の人たちをはじめ、ファンでいてくださる皆様は本当に温かいと感じています」と語る。十日町市からのサポートもあり、十日町市のふるさと納税の返礼品に採用された。さらに十日町市が髙木の起業事例を内閣府に推薦し、髙木は２０１９年6月に内閣府男女共同参画局の「女性のチャレンジ賞」を受賞している。

髙木はアルバイトの女性数名とで製造と販売をしていたが、２０２１年4月から新卒の男性社員が入社した。これは良い経営判断だったようである。やはりクラフトビール醸造は力仕事なので、若い男性社員と製造と販売をした方が事業は成長するだろう。実際に新入社員が入社した２０２１年には、コロナ禍でイベント等があまり開催されなかったにもかかわらず、生産量、販売量ともに前年比１２０％増となっている。

髙木はビール醸造のかたわら、畑を借りて十日町産のホップ生産にもチャレンジしている。また十日町の農家出身の男性も、帰郷してホップ生産を始めているそうだ。さらに十日町市出身の男性2人がUターンし、2020年に十日町市で2番目のクラフトビール醸造所を開業した。これから十日町市は、美味しいクラフトビールの町として盛り上がっていくだろう。

ドイツ人デザイナーが限界集落で古民家再生

十日町市と合併した旧松代町に竹所（たけところ）という集落がある。北越急行ほくほく線のまつだい駅から車で10分ほどの集落だが、その竹所に1995年にカール・ベンクスというドイツ人建築デザイナーが夫婦で移住してきた。ベンクスは竹所で9軒の古民家再生をし、まつだい駅近くの町中にあった旅館を再生してオフィス兼カフェにし、古民家のモデルハウスにしている。ベンクスが竹所で古民家再生を始めたのは1993年からで、大地の芸術祭とは直接関係はない。しかしベンクスの竹所での活動は、まさに山奥ビジネスそのものである。

ベンクスは1942年にベルリンで生まれた。生まれる2か月前に、美術品の修復師だった父親が戦死したそうだ。ベンクスの父親は日本文化の愛好家であり、家には浮世絵や刀や日本に関する書物が残されていたという。ベンクスの家族は東ベルリンに住んでいたが、ベルリンの壁ができる1961年以前から西ベルリンに通って生活の基盤を用意していた。ベルリンの壁が作られる前は、西ベルリンと東ベルリンは自由に行き来ができ、道路も地下鉄も通じていたという。しかし当局の規制が厳しくなってきた1961年8月の夜、19歳のベンクスは意を決し20メートルほどの川を泳いで東ベルリンから西ベルリンに渡り、その後は西ベルリンで内装の仕事を始める。

カール・ベンクスは12歳から空手を習っていた。そして21歳でパリに移り、空手を習いながら内装デザインの仕事を続けた。ここで日本大学の空手関係者と知り合って名刺をもらい、その名刺を手に1966年マルセイユから船で来日する。日本では当時晴海にあった展示会会場で内装デザインの仕事をし、1970年の大阪・万国博覧会でもドイツ館の内装に関わった。「当時は外国人がまだ珍しかったので、日本映画にエキストラ出演もしたんですよ」とベンクスは笑顔で語る。1973年に妻となるクリスティーナと東京のパーティーで出会って結婚、その後はドイツのデュッセルドルフに住み、ドイツと日本を行き来して日本の古民家の構造材を使った建築デザインを手掛けていた。

１９９３年にベンクスは東京の大工仲間に誘われて古民家の構造材を探すために、初めて旧松代町の竹所を訪れた。ベンクスは竹所の棚田が広がる風景や、そこにあった築１００年以上の古民家の佇まいに一目惚れしたという。その古民家は外からは朽ち果てているように見えたが、中の柱や梁はとてもしっかりとしたものであった。ベンクスは即決でその家を買うことにし、２年かけて再生する。すべて解体して土台から柱や梁を新しく組み直したが、江戸時代の大工の仕事は完璧で、組み直しても寸分の狂いも生じなかったという。

ベンクスは「日本の古民家をそのまま白と黒の基調にすると、コントラストが強すぎる」とし、再生した古民家の壁をピンクや黄色、グリーンなどに塗るのが特徴だ。壁には断熱材を入れて床暖房にし、窓はドイツからペアガラスを輸入して断熱効果を高めている。日本の古民家をそのまま再生するのではなく、現代の人たちが快適に住めるようにするのが、ベンクス流の古民家再生である。つまり古いものをそのまま残すのではなく、時代にあうように住みやすくする建築デザインなのだ。古民家購入から２年後の１９９５年、当時９世帯にまで減っていた「限界集落」である竹所にベンクス夫妻は住み始め、地元の人々との交流が始まった。

最初に再生した自宅「双鶴庵」の前に立つベンクス夫妻

竹所で2番目に再生した「イエローハウス」
（上2枚の写真提供：カールベンクスアンドアソシエイト有限会社）

ベンクスは竹所で、外壁が黄色い「イエローハウス」や「べんがらの家」など次々と9軒もの古民家を再生した。移住当時には限界集落だった竹所は、まるで童話に出てくるようなカラフルな家が立ち並ぶ古民家再生のモデル地区となっている。そして子育て世代の移住もあり、集落の住民は20人を超えている。ベンクスは「観光で地域に人を呼ぶよりも、その地域で素敵な暮らしができることを具体的に見せたほうがいい」という考えだ。

町中の再生プロジェクト

２００８年秋、ベンクスはまつだい駅近くにある明治38年創業の旅館「松栄館」で開かれた地元の集まりに参加した。旅館に使われているケヤキの部材がいい感じだったので、ベンクスは「この建物はいいですね」と女将さんに言うと「気に入ったのなら、あげますよ」と言われたという。その旅館は跡継ぎがおらず、建物が老朽化して解体には８００万円もかかる状況だった。今までベンクスが手がけた竹所の古民家再生は個人宅なので、気軽に中を見学することができないという悩みがあった。そこで古民家再生のモデルハウスや事務所が欲しいと願っていたベンクスは、この旅館を取得して建物を再生することを決意する。

建物自体は格安で譲渡されたが、再生には多額の資金が必要だった。ベンクスは自治体からの補助金を受けると設計や活用に制限がかかると考え、補助金を受けずに銀行から融資を受けて再生に乗り出すことにした。そして2年後の2010年に再生が完了し、「まつだいカールベンクスハウス」と名付けてオフィスにし、古民家再生に興味がある人がいつでも中の構造を見られるようにした。2015年からは1階のカフェ営業が始まり、人々が気軽に集える場所になりコンサートやイベントも開催されるようになる。

こうしてベンクスが手がけた古民家の再生数は、日本国内で60を超えている。

「築100年以上の日本の古民家にある、柱組みの技術は世界一だ。それなのになぜ日本人は、30年後に産業廃棄物となるような家を建て続けるのか。古民家の梁や柱を使って価値のある家を作れば、後から高く売ることもできる」とベンクスは主張する。2004年の中越地震や2007年の中越沖地震で、旧松代町は震度5強であった。しかしながらベンクスが竹所で再生した自宅は、揺れを吸収する構造であったために被害はなかった。

ベルリン生まれでパリや東京など大都市にしか住んだことがないベンクスが限界集落

に住み、日本人が価値を見出さなくなった古民家を再生し続けている。日本人も今あるものの価値を再評価して、今の時代にあった活用方法を考えていくべきだろう。

独学の強み

ベンクスは、自身の家づくりについて、著作の中で以下のように述べている。

「こうした私の家づくりは、だれかに習ったわけでも真似をしているわけでもない。もちろん幼いころに見た浮世絵に始まり、和洋の工芸、美術にいろんな形で影響を受けているだろう。だが最大の師は伝統建築であり、それを担ってきた職人達である。

インテリアデザイナーからスタートした私は、あくまで建築デザイナーであり、設計士ではない。家をつくる際、そのことは本当にプラスになっている。建築専門の勉強をしていたら、発想が従来のルールに縛られて、幅の狭いモノになっていただろう。そしてドイツ人として生まれ育った私には、日本の民家に先入観がない。そのため、固定概念にとらわれずに自由な発想で家をつくることができる」

山奥ビジネスの取材を始めるにあたり、筆者は「山奥ビジネスで成功している人たちは、スキルが高く精神的にもタフな人が多いだろう」と推測していた。ベンクスはまさにそういう人である。本書の第二章マルガージェラートの柴野大造は、製菓学校に行かずに世界一のジェラート職人となった。第三章の画家のＭＡＹＡ ＭＡＸＸも全くの独学で独創的な絵を描き続けている。そして第四章の群言堂デザイナーの松場登美は雑貨製作からアパレルのデザイナーになって成功している。

ベンクスを始め、こうした独学の人々に共通することは、「自分がやりたいと思ったことを、仕事として続けながら技術を向上させる」ということだろう。技術を学ぶために学校に行くことはせず、自らのセンスを活かして仕事に取り組みながら、技術を向上させていくのだ。それが独学の強みである。

さらに４人に共通していることは、「夢を持っていること」だ。夢を持って困難な状況にも立ち向かい、ワクワクしながら仕事をしているのである。

第六章　北海道東川町

「2年連続で出場したチームが、前年に撮影をした農家のおばあさんに改めて会いに行ったときのことである。しかし、そのおばあさんは亡くなっていた。最高の笑顔を撮らせてくれたおばあさん。ご家族はその写真を大事にとっていて、『今年も訪ねて来てくれてありがとう』と声をかけていた。写真甲子園では、〝かけがえのない出会い〟が生まれている」

『東川町ものがたり　町の「人」があなたを魅了する』

写真文化首都「写真の町」東川町編

北海道・東川町（ひがしかわ）は、「北海道最高峰の旭岳を有し、鉄道も国道も上下水道もない町」である。これだけ聞くと、どんな山奥の町かと思うが、実際には東川町は北海道らしい広々とした平地の町だ。そこに広がる水田は大きな区画で区切られ、「北の平城京」（次頁写真）とも呼ばれている。国道は通っていないが、北海道第二の都市である旭川から車で30分ほどの位置にあり、旭川空港はさらに近く、車で10分ほどで着く。飛行機を利

「北の平城京」と称される東川町の水田（写真提供：東川町）

用すれば、東京に2時間くらいで行ける便利なロケーションにあるのだ。

また上下水道がない自治体は全国でも数少ないが、実は大雪山系からの伏流水が町内を流れているため、東川町民はその伏流水をポンプでくみ上げて各家庭で使っている。つまり東川町は、家庭の水道から天然のミネラルウオーターが出てくる豊かな町なのである。

全国でも珍しい人口が増えている町

人口8522人（2022年7月末現在）の東川町は、この25年間で人口が20％も増えている全国でも稀有な町である。現在では、町の人口の約半数が移住者であるという。東川町の人口は1994年の約7000人を底に、

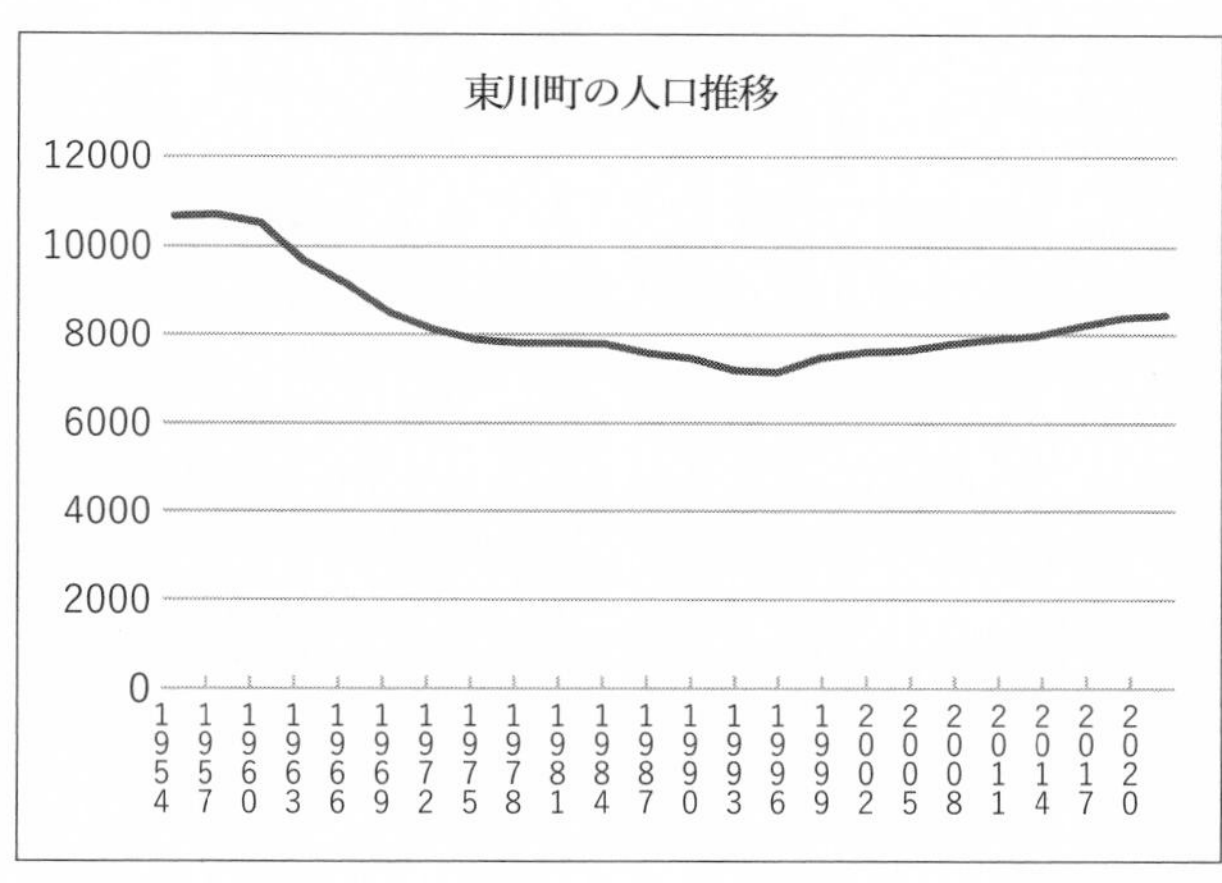

現在の人口まで徐々に増えてきたのだ。「旭川のベッドタウン」といわれるが、東川町には多様なビジネスがあり、昼間人口の方が夜間人口よりも多い。だから「旭川のベッドタウンだから人口が増えた」という理由は当てはまらない。また東川町には町立の日本語学校があり「外国人学生の人数で人口をかさ上げしている」と言われることもあるが、それも違う。日本語学校の卒業生がそのまま東川町に定住することはほとんどなく、日本語学校の入学者数は卒業者数で毎年ほぼ相殺されている。従って日本語学校の存在は一定の人口を加算はするが、ネットでの人口増にはつながらない。

それでは一体、なぜ東川町で人口が増加し

社会増（転入数）　+600人	社会減（転出数）　−500人
自然増（出生数）　+50人	自然減（死亡数）　−100人

続けているのであろうか？　第九章で詳述する「社会増減・自然増減についての第二のマトリックス」を使うと、東川町では毎年表のような状況になっている。

自然増減のマイナス50人を社会増減のプラス100人で相殺し、ネットで50人の人口増加ということが毎年のように続き、ゆるやかな人口増につながっているのだ。また東川町の出生数は毎年50人前後であるが、小学校入学時には一学年が80人前後になる。つまりそれだけ若い世代の移住による社会増が多いのである。日本全体で人口減少の時代に、東川町ではなぜこのように理想的な形で人口が増え続けているのだろうか。東川町の産業や写真の町への取り組み、東川町にあるスモールビジネスの代表的な事例についてみていこう。

東川町の主要産業は、稲作を中心とする農業と旭川家具製造の木工業、そして観光業である。1895年から東川町（旧旭川村字忠別原野）の開拓がはじまり、その2年後から稲作が始まった。2000年以降は水田の大規模化が進められ、農家の所得が増えたため、農家の跡継ぎがＵターンするようになったという。東川町は北海道でも有数の米の生産地となり、「東川米」はブランド米となっている。

また高品質の家具ブランドとして知られる「旭川家具」の工場や工房が東川町にもあり、「旭川家具」の約3割は東川町で生産されている。そして観光業については、東川町には日本最大の国立公園である大雪山国立公園があり、登山客やスキー客が来町する。大雪山国立公園内には旭岳温泉と天人峡温泉という2つの温泉地があり、１９８０年代に人気の観光地となった富良野や美瑛にも近いため、近年は観光業にも力をいれている。

「写真の町」東川町

全国でも珍しい「写真の町」のまちおこしについて、話をすすめよう。東川町は開拓90年を記念した１９８５年に、全国でも例がない「写真の町宣言」をした。１９８０年代は大分県から始まった「一村一品運動」が注目され、その地域の特産品でまちおこしをすることが全国各地で始まっていた。

しかし東川町では米や木工家具といった特産品ではなく、観光で地域活性化をはかりたいという機運が高まっていた。富良野市がロケ地のテレビ番組『北の国から』が１９

81年10月から放送されて大ブームとなり、観光客が富良野市に押し寄せていたのだ。富良野市に近い東川町としては、旭岳の麓にある2つの温泉や大雪山系の大自然の素晴らしさをもっと観光客に訴求したいと考えていた。

そんな中、札幌の企画会社から「東川町には被写体になるような美しい自然や風景があるので、写真文化でまちおこしをしてはどうか」という提案があった。写真は東川町の自然や人、文化や暮らしを発信するのには最適で、また写真愛好家も一定数いる。東川町は著名な写真家の出身地でもなく、ましてカメラメーカーがあるわけでもなかったが、1985年に「写真の町宣言」を行い、翌1986年には「写真の町に関する条例」を制定した。

今でこそ「インスタ映え」という言葉があるが、1985年に「写真映りのよい町」の創造を謳ったことは、時代を先取りしていたと言える。またこの宣言には「世界の人々に開かれた町」ともあり、写真文化活動を通じて、東川町民が国内外の人たちと広く交流していくことを目指していたことがわかる。

それからは東川町の職員は、公務員としてはやったことのない仕事に次々とチャレンジしていくことになる。1985年から写真コンテストを開催するために著名カメラマンや文化人に審査員を依頼し、また大手カメラメーカーに協賛をお願いするために、何度も東京に出張した。バブル経済が始まった1980年代半ばにおいて、北海道の小さな町の職員がこうした営業努力をするのは大変なことだったろうと想像する。

さらに1994年からは全国高等学校写真選手権大会、通称「写真甲子園」を開催している。これは初戦（現在は初戦及びブロック審査会）を勝ち抜いた高校生たちを東川町に招くイベントである。「写真甲子園」では、全国の高校の写真部が初戦を突破するために規定の組写真を提出し、初戦及びブロック審査会を勝ち抜いた18校が東川町に約1週間滞在、東川町近辺の風景や人々を撮影し作品を制作、発表する高校写真部の全国大会である。全国の高校球児が甲子園を目指すように、毎年500校以上の高校の写真部から初戦作品の応募があるという。

ここで特筆すべきことは、初戦及びブロック審査会を勝ち抜き本戦大会に進んだ18校については、1校あたり顧問の先生と生徒3名について東川町までの交通費、滞在費を、すべて東川町が負担することだ。最初の1泊は、東川町の住民の家にホームステイをし、それ以降は（株）東川振興公社の宿泊施設に滞在する。大会期間中の食事も、町の人たちがボランティアで用意するという。すなわち「写真甲子園」では東川町が町民の協力

写真甲子園に参加している高校生と町の子供たち（写真提供：東川町）

を得て、高校生たちをもてなしているのである。だからこそ、冒頭に紹介した文章のように、参加した高校生と町の人たちとの間に心温まる交流が生まれるのだ。この写真甲子園は25年以上続いている。さらに2015年からは高校生国際交流写真フェスティバルが新たに始まり、タイや台湾などの高校生も参加して交流は世界に広がっているのだ。

「なぜ人口1万人にも満たない小さな町が、これだけ大規模な写真コンテストや写真甲子園を20年以上継続できたのだろうか、特に資金面はどうなっているのか」と疑問を持つ読者もいるだろう。前述のように写真コンテストを開催するため、東川町役場の職員は東京に何度も出張し、大手カメラメーカーと協賛金について交渉を重ね、また著名カメラマンや文化人に審査員の依頼をしている。門前払いされたこともあったというが、こうした努力を通じて、東川町役場の職員は「営業する公務員」となり、徐々に交渉技術も向上していった。いわば、東川町役場の職員は東京に出張し「越境学習」をすることによって、外からの資金や知恵、人材を東川町に持ち込んだのである。

そして2003年に「近隣の市町村と合併しない」ことを公約として選挙に勝った松岡市郎町長が就任して以来、東川町役場の職員たちは「予算がない、前例がない、他でやっていない」の3つの「ない」を言わないようにしているという。東川町では、最初に「町が取り組みたい事業」というのが明確にあり、その事業に必要な補助金を探し出す。逆に普通の地方自治体では、「国や都道府県の補助金があるから、こういう事業に取組む」ことで、政策が横並びになってしまいがちである。

このように「写真の町」プロジェクトを通じて、東川町役場の職員がビジネスマインドを持つようになり、また外からの人たちの対応にも次第に慣れていったことで、以下に述べるようなスモールビジネスの集積や優れた教育環境を実現し、最終的には移住者が増加することにつながっているのである。

多様なスモールビジネスが集積

東川町を訪れると、おしゃれなカフェやセレクトショップ、パン屋、レストランなど約60店舗が、町の中心部だけでなく郊外にも散らばっていることに驚く。こうした点在するおしゃれな店やカフェを巡るのもこの町の楽しみ方だ。東川町でこのように多くのスモールビジネスが集積するきっかけは、2012年4月に町の中心部にある道の駅「道草館」の隣に、登山やアウトドア用品の専門店「モンベル大雪ひがしかわ」が開業したことである。

もともとは東川町の商工会や観光協会が、モンベルを町に誘致していた。そして実際にモンベル出店にあたって、東川町は約1億円をかけて店舗を建設して、商店街活性化の利活用プロポーザルにモンベルが応募したことで実現した。北海道からも補助金約3800万円を受けることができたので、東川町の負担額は約6000万円となった。モンベルから町に年間賃料と法人事業税が入り、町の雇用増にもつながる。そして何よりもモンベルの存在は、東川町のイメージアップに大きく貢献し、「モンベル大雪ひがしかわ」が開業した頃から、東川町にはアパレルショップやおしゃれカフェ、パン屋や焙煎コーヒーの店、レストランなどが次々と開業していったのである。

そうした多様なスモールビジネスの担い手は、Uターンした若い世代や都会から移住してきた家族である。いずれも規模を大きく商売するよりも、自分たちがやりたいことをなりわいとし、東川町での暮らしと仕事を楽しむ生活をしている人が多いという。

子育て世代の移住者を呼ぶ「教育の町」

東川町を訪れる人が驚くのは、広大な敷地にある東川小学校と東川町地域交流センターだろう。その広大な敷地は約4ヘクタールもあり、さらに東川小学校の周りは12ヘクタールの公園となっている。そこには人工芝のサッカー場、天然芝の軟式野球場、多目的芝生広場、1ヘクタールの体験水田・体験農園・果樹園等があり、様々な課外活動ができるようになっている。

東川小学校の校舎は平屋建てで、広々とした廊下と区切りがない教室が18ある。子供を持つ親ならば、「こんな環境が整った小学校で子供を学ばせたい」と思うのも当然だ。実際にこの設備が整った東川小学校の存在は、子育て世代の移住者を惹きつけることにつながっているという。

東川小学校と東川町地域交流センター全景（写真提供：東川町）

東川小学校と地域交流センターは２０１４年に新築移転されたが、小学校の建設費は約38億円、周辺の整備費をあわせると約52億円という大規模なプロジェクトだった。前述のように、東川町内の1学年の人数は80人程度であるから、人口や財政規模からすれば信じられないような規模である。

また東川町には東川小以外にも、東川第一小学校、東川第二小学校、東川第三小学校と、東川中学校がある。これだけ設備が整った東川小学校を新築するにあたり、他の自治体だったら小学校の統合や小中一貫校を新設するだろう。その点について松岡町長に質問すると、「東川町にある４つの小学校はそれぞれ明治31年から33年に創立され、１２０年以上の歴史があります。新しく東川小学校ができても、『地域の小学校に通わせたい』と希望するご家庭があります。小学校は地域の中核なので、それぞれ残すべきだと考えています」との答えだった。小中一貫校にしなかった理由もそこにあり、小学校が4校あるため、東川小学校だけが東川中学校と一貫教育をするというのは望ましくないからだ。

さらに2015年には、日本初の町立の日本語学校が東川町にできた。日本語学校は東京や大阪など都市部にあることが多いが、「都会ではなく、地方で日本語を学びたい」という学生たちが韓国、台湾、中国、タイなどから留学してくる。留学ビザのいらない短期コースの留学生は累計3000名を超え、留学ビザが必要となる6か月もしくは1年間の長期コースの留学生は、累計400名を超えている。そして東川町内には日本語学校の留学生用の学生寮も完備している。東川町立の日本語学校の存在によって、町の消費が伸び、また学費や寮費の納入金は町の収入となる。長期的には交流人口を生み出し、東川町のファンを国外にも作ることにつながるだろう。

前述したように、留学生は一定数が毎年出入りするため、東川町の人口増には直接つながらないが、町の活性化には貢献しているのだ。人口8000人規模の町がこれだけの外国人留学生を町内に受け入れているのは、オープンな東川町ならではのことだと思う。

スモールビジネスのお手本「北の住まい設計社」

「スモールビジネスの町」である東川町を代表する企業として、1985年に東川町の山奥で創業した北の住まい設計社がある。同社は東川町の中心部から8キロほど離れた、まるで北欧のような森の中にあり、家具をメインにカフェやアパレルまで手掛けている。

北の住まい設計社の創業者、渡邊恭延（やすひろ）は、1945年生まれで旭川市出身である。大学でデザインを学んだ後、姉夫婦が経営する設計事務所で働いていた。1978年にグラフィックデザイナーの妻とともに独立し、旭川市内で店舗の内装デザインを手掛けて飲食店の経営もしていた。

しかし多忙な生活となったため、思い切って夫婦で北欧に1か月滞在することにした。北欧では農家にホームステイし、築100年以上の木造の家に自然と共存しながら暮らす生活を体験する。団塊の世代で大量生産時代を経験した渡邊夫妻は、北欧で「もっと、もっとがない暮らし」を体験し、大きな影響を受けたそうだ。

北欧から帰国後、1985年に知人のアーティストから、東川町郊外の廃校となった

廃校を活用した北の住まい設計社の家具工場（写真提供：同社）

東川第五小学校を紹介される。渡邊夫妻は廃校を家具工場として、北の住まい設計社を設立して、人里離れた地に住むことを決意した。廃校脇にあった教員住宅に住み、駐車場のアスファルトをはがして木を植えたという。その木が30年以上成長して、今はまるで北欧のような森になっている。北の住まい設計社は、現在の廃校活用の先駆けといえる存在である。

北の住まい設計社の家具の特徴は4つある。第一に、創業時にスウェーデン人のデザイナーを1年間東川町に招き、北欧デザインを全面的に取り入れたことである。東京の展示会で家具を発表すると、1980年代後半には東京のデパートなどでも取り扱いが始まり、売上は1億円を超えるようになった。第二に、家具の製作は分業制ではなく、1人の職人が1つの家具を最初から最後まですべての工程を作り上げること。第三に、無垢材で家具を製作し、家具の表面には一般的なウレタン塗装をせずにエッグテンペラといわれる自然素材だけで塗装を仕上げていること。最後に、家具の原料は北海道産の木材が100%であることだ。以前は家具に使う木材はアメリカを中心に海外産が7割で、国産の木材が3割の使用であった。しかし海外産の木材は、輸入時に防虫剤を染み込ますという問題があった。そこで2017年からは、北海道産の木材100%とすることにしたのである。

北の住まい設計社の家具（写真提供：同社）

北海道産の木材を100%使い、1人の職人が丁寧に仕上げる無垢材の家具の価格は当然高くなる。渡邊は「100年以上生きた木を家具に使うのですから、家具も100年以上使えるようにしなければならないと思います」と語る。そして「地球環境を守るためには、人間が節度を持って生きることが重要」と力説する。北の住まい設計社は、SDGsという言葉がない40年近く前から、山奥の廃校で自然と共存しながら、こだわりの家具作りを続けてきた。そして今では住宅の設計も手掛けている。家具工場の隣ではカフェも運営し、北欧スタイルの衣食住全般を提案する直営店もあり、グループ全体の売上は4億5000万円にまで成長している。

岐阜県から移転した三千櫻酒造

岐阜県中津川市にあった三千櫻酒造は1877年（明治10年）創業の老舗である。その三千櫻酒造は2020年11月に、1500キロ以上はなれた東川町に移転し、全国でも珍しい公設民営の酒蔵となった。三千櫻酒造は、杜氏で6代目である社長の山田耕司と妻、従業員2名の小さな酒蔵で、年間2万本（一升瓶）を醸造していた。山田の営業努力もあって、製造量の約7割を首都圏で販売してきたという。

しかし三千櫻酒蔵には2つの大きな問題があった。1つは蔵全体が老朽化し、蔵を新築するには6000万円以上がかかること、もう1つは中津川で冬場に酒造りをしていても、蒸した米の温度がかつてのように下がらないという問題である。山田には娘2人がいたが酒蔵を継がなかった。山田は廃業も考えていたが、140年以上続いてきた三千櫻酒造をできれば残したいという気持ちが強かった。

そしてこれからの100年を考え、山田は冷涼な気候の北海道への移転を模索する。北海道を中心にいくつかの自治体に当たったが、いずれも「土地は用意しますが、建物は御社で建ててください」ということだった。そんな中、東川町が2019年に公設民営の酒蔵の公募をする。東川町には小規模ながらワイン醸造所があったが、特産の東川米を使う酒蔵はない。現在、日本酒の醸造は実質、新規参入ができない状況であり、ビールやワインのように新しく醸造所を開設することはできないからである。

三千櫻酒造は東川町の公設民営酒蔵に応募して正式に移転が決まり、中津川から山田の家族や従業員が移住してきた。中津川を離れる理由は前述の通りだが、東川町に移転する積極的な理由について「東川町は北海道内有数の米どころで、大雪山系からのきれいな伏流水もあります。また北海道は観光地でありながら日本酒の酒造メーカーが14蔵しかなく、競合相手が少ないブルーオーシャン市場だと思いました」と山田は語る。

三千櫻酒造は、思い切って1500キロ以上離れたところに移転した。こうして東川町で仕込んだ日本酒は、東川町のふるさと納税返礼品に採用され、町の飲食店も積極的に利用している。また三千櫻酒造は、東川町のＪＡとも協力して北海道ならではの酒米品種を栽培し、日本酒の生産量を中津川の頃よりも２・５倍に増やすことができたという。さらに２０２２年１月には、東川町産の東川米は「皇室献上米生産地」として、そして三千櫻酒造株式会社は「皇室献上日本酒蔵元」になっている。

オープンな人々

筆者は東川町を取材で３回訪れたが、先進的な教育を行う東川小学校やおしゃれなカフェやお店に驚いた。また取材しながらも、「どうして小さな町で、このようなことが可能なのか」と驚くことが多かった。そしてこの町の人々は皆、外から来た人に対して気さくでオープンだった。

北の住まい設計社の渡邊は、「１９８０年代半ばにスウェーデン人のデザイナーが来た時には、町の人たちから声がかかり、最初は仕事が手につかないほどでした。当時はまだ外国人が珍しかったのかもしれませんが、東川町の人たちは、本当に親切でオープンな人が多いと思います」と語る。もともと北海道は、先住のアイヌ民族と明治以降に全国各地から移住してきた人々からなるため、日本の他の地方に比べるとオープンな土地柄ではある。そして人口が増え続けている東川町では、今や人口の約半分が移住者だと言われている。

２０２１年3月発行の北海道東川町ガイドの表紙には、「やま、みず、しょく、ひと、ぶんか　CONNECT WITH HIGASHIKAWA」とある。このように東川町の在り方は、この本書のテーマであるＳＬＯＣ（Small, Local, Open, Connected）シナリオそのものである。地域にある資源を効果的に活かし、魅力的な一次産業、二次産業、三次産業をバランスよく成長させ、国内外から交流人口を招いて町の魅力を高めて移住者を増やし、まさに「一流の田舎」を形成している。ＳＬＯＣシナリオが実現している東川町は、これからの地方創生のモデルケースとなるだろう。

第七章　山梨県小菅村

「今までわさびはチューブの中にあるもの……という人工的なイメージしかなかったけども、実際のわさびは人の手で畑から作られ苦労してつくられているのがわかりました。このまま高齢化が進めば日本のわさびはなくなってしまうかもしれないと思いました。それぐらい重労働でした。でも楽しかったです」

『多摩川源流域における地域再生と農環境教育』
多摩川源流大学の設置による地域再生プロジェクトに参加した大学生の感想

「自然が豊かで、食べ物がおいしく、人が温かい」という田舎は、日本中どこにでもある。山梨県の山間部にある小菅村は、この言葉がまさに当てはまる典型的な田舎であるが、「源流の村」をキーワードに村づくりをすすめ、「一流の田舎」を創造している。

小菅村は「多摩川源流大学」というプログラムで累計２０００人以上の大学生を村に招いて交流し、「源流親子留学」で小中学生がいる27家族88人（うち子供49人）が村に移住してきた。また村の木材を活かして村内の住宅問題を解決する「タイニーハウスプロジェクト」を推進している。さらに渋谷に本社があったクラフトビール会社が小菅村に移転し、古民家を再生したホテル「NIPPONIA小菅　源流の村」が新しく開業した。このように小菅村は山奥にユニークなビジネスを招き、村の魅力をさらに高めているのだ。

東京から車で2時間ほどの小菅村は、人口わずか661人（2022年8月1日現在）で、コンビニもスーパーもない山奥の村である。多摩川の源流に位置し、「山紫水明」という言葉そのものの大自然がある。

江戸時代までは甲州街道の裏街道である青梅街道沿いで、交易が盛んであった。関所があった甲州街道に比べて、険しい山岳地帯を通る青梅街道は、比較的自由に人や物資が行き交っていたという。

1944年に青梅線が東京都奥多摩町まで延長された。戦後の1946年に奥多摩町から小菅村までバスが通じるようになると、小菅村の人たちの生活の基盤は、山梨県ではなく東京都の奥多摩町となった。しかし2014年に松姫トンネルが開通すると、大月に車で30分ほどで行けるようになり、中央自動車道やJR中央線へのアクセスが格段

小菅村全景(写真提供：小菅村)

に良くなって観光客も大幅に増えた。
　小菅村の面積の約95％が森林で、また約3分の1が東京都所有の水源かん養林である。林業が主な産業だが、農業では清流を活用したわさびやこんにゃく芋が特産品で、ヤマメやイワナなどの川魚の養殖も行われている。小菅村の人々は、山あいにある段々畑でいろんな種類の野菜を栽培し、保存食や味噌を作っている。日照時間が限られる山あいなので、稲作ではなくそばの栽培が盛んで、ほとんどの高齢者がそばを打つことができるそうだ。このように小菅村ではスーパーがなくても、なんとか自給自足の生活がなりたつくらいで、むしろ豊かな食生活が営まれているともいえるのだ。

多摩川源流大学で増えた交流人口

小菅村は1987年から「多摩源流」というキーワードで村づくりを始め、多摩源流まつりを毎年開催してきた。2001年には多摩川源流研究所を設立し、その運営委員長を東京農業大学の教授がつとめたことから、東京農業大学と森林再生や資源調査で協力することになる。2006年に文部科学省の「現代的教育ニーズ取組支援プログラム」に採用され、2007年には多摩川源流大学を設立して学生向けの体験学習を開始した。今では東京農業大学だけでなく、東京学芸大学や法政大学などの大学生や一般の人たちも小菅村を「学びのフィールド」として、この村で行われている伝統的な農業や林業、生活文化体験についての様々な講座に参加し、「暮らしや食の根源」を学んでいる。また多摩川源流大学の事務所には、廃校となった分校を活用している。

この章の冒頭に掲げた感想文は、多摩川源流大学のプログラムに参加した大学生が書いたものである。都会育ちの若者にとっては、わさびは「チューブに入ったもの」なのだろう。このプログラムをきっかけに、東京農業大学の学生有志団体「源流放課後の会」ができ、大学の収穫祭で小菅村の野菜を販売することになったという。また大学卒業後に小菅村に移住する人や、東京都水道局の職員として小菅村に赴任して、かつて参加した多摩川源流大学のプログラムに講師として参加する人もいるそうだ。多摩川源流大学のプログラムを通じて生まれた交流人口は、その後も小菅村との縁をつないでいる。

源流親子留学で小中学校を維持

この他に小菅村では、２０１４年から「源流親子留学」を実施している。親子留学としたのは、子供だけの留学だと子供の精神的な負担が大きいこと等が理由だ。筆者は別の村で、山村留学を小学校4年から3年間経験した人を取材したことがあるが、その人によれば山村留学の初日に子供たちを置いて親が帰ると、大泣きしている子供たちばかりだったという。また山村留学が終わり、中学生で都市部に戻った時の逆カルチャーショックも大きかったとのことだ。その点、親子留学の場合には親も一緒に小菅村に移住するので、子供たちはより精神的に安定する。「源流親子留学」制度を利用して、２０１４年からの6年間で、27家族88人（うち子供49人）が小菅村に移住した。

小菅村の「源流親子留学」は、小中学校の児童生徒の減少という切実な問題を解決するために始まった。「自然豊かな小菅村のようなところで、伸び伸びと子育てをしたい」という希望を持つ親はいるが、現実には親の就職や家族が居住する家が不足しているという問題がある。小菅村の小学校の児童数は30人前後、中学校の生徒数は15人前後であるが、「どんなに学年の人数が少なくても複式学級にはしない」という方針を貫いている。また1学年が平均5人の少人数制で先生の目も行き届くため、きめ細やかな教育が行われている。そして今では児童・生徒の約半数が移住者の子供たちとなっているのだ。小菅村では学用品の補助など子育て支援が充実しているが、特筆すべきは中学校でのオーストラリア修学旅行（5泊6日）で、保護者の負担8万円で残りの費用は村負担で参加できる（20年からコロナで中止中）。

小菅村では、源流親子留学制度の移住相談を教育長が担当しているという。通常の自治体では移住に関する相談は移住担当が窓口となり、教育に関して教育委員会の担当者を紹介することが多い。源流親子留学制度を利用して移住を希望する家族に対して、教育長自らが移住担当窓口になり、教育環境だけでなく住環境についても相談に乗っているのは素晴らしい実践である。なお小菅村には高校がないため、「源流親子留学で移住してきた家族は、上のお子さんの高校進学とともに村外に移住されることが多いのが実情です」と船木直美村長は語る。

タイニーハウスの体験住宅（写真提供：小菅村）

タイニーハウスプロジェクト

小菅村では、環境に配慮したユニークな「タイニーハウスプロジェクト」がある。タイニーハウスとは、「暮らし方を見直し、モノを少なくして小さな家に住む」という思想に基づいて建設される小規模住宅である。タイニーハウスは建設に使用する木材も少なくてすみ、また冷暖房費も節約できるため環境に良い。２００８年のリーマンショック後は、住宅建設コストの節約だけでなく、そういった環境重視のコンセプトが支持され、タイニーハウスはアメリカ西海岸を中心に世界中に広まっている。

このプロジェクトは、長年小菅村の公的建築物を設計してきた一級建築士の和田隆男が提案した。もともと和田は山梨県甲府市にある設計会社に勤務していた。1994年に開業した「小菅の湯」の設計の際、「林業の村で温泉施設を建てるのであれば、木造建築にしましょう」と小菅村に提案した。そしてその提案が受け入れられて、和田は設計者として採用された。これをきっかけに、小菅村役場や道の駅など小菅村にある公的建築物は和田が設計することになったのだ。船木村長は、「和田さんに設計をお願いしてきたことで、村内の公的建築物に統一感が生まれました」と語る。

和田は68歳で設計会社を定年となったが、長年仕事をしてきた小菅村に恩返しをしたいという気持ちがあった。そこで小菅村の地域おこし協力隊に応募し、小菅村の地域振興に3年間携わることになった。小菅村内にはあまり平地がなく、移住者や地域おこし協力隊の住む家が不足しがちなので、和田は「タイニーハウスプロジェクト」を船木村長に提案したのである。そこにはタイニーハウスの家屋や家具に、小菅村の木材を使用したいという意図もあった。和田は地域おこし協力隊の任期中に、3軒のタイニーハウスを設計した。小菅村が建設し、そのうちの1軒は和田が借りて、現在も住んでいる。あとの2軒は小菅の湯の近くに建てて、民泊の許可を取ってタイニーハウスの体験宿泊ができるようにした。

筆者も取材時にタイニーハウスに宿泊してみた。1階はリビングとキッチン、トイレとシャワールームがあり、2階部分のロフトは寝室となっている。「この家に住むとしたら、どういう暮らしになるか、どこまでモノを持たずに暮らせるか」などと考える良い機会になった。タイニーハウスの思想は、自分が望む生活をする「ライフスタイル」だけではなく、環境のことなどを配慮しながら暮らす「ライフスタンス」の追求であると言える。

さらに小菅村では2017年から「タイニーハウス小菅デザインコンテスト」を開催しており、2021年には163組もの応募があったという。タイニーハウスは、「小さな小菅村」というコンセプトにぴったりの建築コンテストである。そして和田は地域おこし協力隊の任期終了後、小菅村に「小菅つくる座」という会社を設立した。引き続き「タイニーハウス小菅デザインコンテスト」の審査員を務め、村内外にタイニーハウスを設計・建設し、タイニーハウスに合う家具を小菅村の木材を活用して製造している。また和田が設計した「小菅の湯」は、電気ボイラーから薪ボイラーにして、2022年1月から営業を再開している。このように小菅村は村の森林資源を活用し、実行できることから、無理のない環境政策を着実に進めているのだ。

松姫トンネルの開通と「道の駅こすげ」

山奥の小菅村と大月市の間にある松姫峠に、松姫トンネルが2014年11月に開通した。大月市との距離が10キロも短縮され、小菅村と大月市は車で30分ほどになった。それ以前、小菅村は東京都奥多摩町からのアクセスがメインだったが、JR中央線や中央自動車道がある山梨県大月市へのアクセスが格段に良くなったことは、小菅村の生活や観光にとって、大きなターニングポイントとなった。

さらに2015年には「道の駅こすげ」もオープンした。すでに開業していた「小菅の湯」に隣接し、小菅村の野菜や物産の販売所と、村の食材を活用した「源流レストラン」があり、「フォレストアドベンチャー・こすげ」という自然共生型のアウトドアパークもある。この「フォレストアドベンチャー・こすげ」には、日本で唯一の「森から飛び出し、畑を越え里山を見下ろす」137メートルものジップスライド(森の中に張ったワイヤーを滑車で滑り降りるアクティビティ)がある。「フォレストアドベンチャー」はフランスで開発されたシステムで、木の上で自ら安全器具を操作し自分で安全を確保して前へ進むようになっており、大人の企業研修にも使われるような本格的な施設である。「道の駅こすげ」は交通の便がいい幹線道路沿いにあるわけではなく、わざわざそこを目指していかなければならないロケーションにあるが、週末には駐車場が満杯になるほど人気の道の駅となっている。観光客や村内のキャンプ場を利用する家族連れ、奥多摩地区をツーリングするバイク乗りや、大菩薩嶺を登る登山客なども「道の駅こすげ」を利用する。地元の食材の買い物ができ、レストランや温泉、アドベンチャー施設もある「道の駅こすげ」自体、成功した山奥ビジネスである。

渋谷から本社移転したクラフトビール会社

東京・渋谷で創業したクラフトビール会社、Far Yeast Brewing 株式会社（以下ファーイーストブルーイング）は、2017年に小菅村に醸造工場を設立した。そして2020年春からのコロナ禍でオンラインでの仕事が主流となり、同年10月に本社を渋谷から小菅村に移転している。「ビールの多様性と豊かさを取り戻し、世界に発信」することをミッションにし、世界のビールコンテストでの受賞歴もあるクラフトビールの会社が、なぜ渋谷から小菅村に本社を移転したのであろうか。

ファーイーストブルーイング創業者の山田司朗社長は1975年に愛知県に生まれ、岐阜県で育った。東京の大学を卒業後、直接金融に興味を持ち1998年に大手証券系のベンチャーキャピタルに就職した。当時はITバブルの前夜であり、ベンチャーキャピタルの新入社員として投資先を開拓していると、株式会社サイバーエージェントの藤田晋（すすむ）社長に入社を誘われた。ベンチャー企業で働きたいと思っていた山田は社会人2年目で、まだ従業員10人程度だったサイバーエージェントに転職する。翌年、今度は後のライブドアとなる会社に誘われて入社した。そして2000年にマザーズ上場を経験し、山田は深夜まで猛烈に働く日々を送り、26歳で取締役になる。

その後山田は2003年にスペインの子会社に異動した。それから2年間の準備期間を経て会社を辞め、2005年にイギリスのケンブリッジ大学のMBA課程に入学する。ケンブリッジ大学のMBAを選んだ理由について山田は、「最先端の金融を学ぶのではなく、経営をじっくり研究できる環境を選んだ」と語る。そしてヨーロッパ滞在中に、大量生産の工業製品としてのビールではなく、地域性や各地の食文化が反映された様々なクラフトビールと出合った。山田は「ビールを多様化して、日本ならではのビールを造りたい」と志す。

山田は日本に帰国し、ベンチャー企業のサポートなどを手掛けた後、2011年にファーイーストブルーイングの前身、日本クラフトビール株式会社を創業する。最初は醸造所を持たない委託生産で、山田が開発した和食に合うビールを造れたのは、ベルギーのビール会社だったという。その後、国内でクラフトビール醸造工場を設立するために、山田は東京に近い立地として山梨県に注目した。当初は甲府盆地にある工場跡地などを検討したが、とても予算に合わなかった。山梨県庁の担当部署に相談すると、たまたま小菅村にある工場跡地を紹介されたが、甲府盆地の物件に比べると格段に安かった。すでに松姫トンネルが通じていて、小菅村は中央自動車道の大月インターまで車で30分となっており、山田は小菅村にビール醸造工場を作ることを決意する。不動産が安い以外に、小菅村に工場を設立するメリットについて、「小菅村は多摩

ファーイーストブルーイングのビール
（撮影：秋元良平　写真提供：同社）

川の源流なので、清らかな水があります。また『多摩川源流』というコンセプトも、商品イメージに使えます」と山田は語る。

さらにコロナ禍でテレワークが主体となり、2020年10月には本社も渋谷から小菅村に移転することにした。「小菅村や地元の人々のサポートが大きかったです。ふるさと納税品にも採用され、道の駅など地元のレストラン・宿泊施設でも販売してもらっています。『渋谷から小菅村に本社を移転』というニュースが山梨県の新聞で紹介され、販売増につながりました」と山田は語る。

また小菅村への本社移転後に、アメリカ人の技術者2名が入社したという。1人は日本在住で品質保証業務の経験者であり、もう1人はアメリカのクラフトビール醸造所で製造経験がある。2人とも小菅村のファーイーストブルーイングの工場を実際に訪れて、「都会ではなく自然の中でビール醸造をしている」ことに興味を持ったという。山田は「小菅村への移転を機に地元の生産者や事業者との連携を深め、山梨県の特産品である桃やぶどうを使ったクラフトビール造りなどにも取り組んでいきたい」と語る。

村全体がホテルになる「NIPPONIA小菅　源流の村」

「NIPPONIA小菅　源流の村」（写真提供：小菅村）

さらに2019年8月には、「NIPPONIA小菅　源流の村」が開業した。NIPPONIAは「なつかしくて、あたらしい、日本の暮らしをつくる」をテーマに、全国各地で商家や農家などをホテルとして活用しており、株式会社NOTEが運営している。小菅村にある「NIPPONIA小菅　源流の村」は築150年以上の合掌造りの古民家、細川邸で、この家はかつて村の名士が所有した格式の高い邸宅だった。江戸時代には村の迎賓館のような役割を果たしており、先代の家主は小菅小学校の校長先生だったという。戦後、村にはこの家にしかテレビがなかった頃、プロレス中継を見るために村人たちがこの家に集まっていた。村人にとっても思い入れがある細川邸は数年間空き家となっていたが、持ち主から「村で活用してくれないか」という申し出があった。船木村長は「村の資料館にしても一日数人しか来ない。そうしたら管理人の人件費すら出ないだろう」と活用方法について頭を悩ませていた。

そんな時、道の駅の商品開発などに関わっていた株式会社さとゆめ代表取締役の嶋田俊平から、日本の古民家や商家を活かしホテルＮＩＰＰＯＮＩＡを展開する株式会社ＮＯＴＥを紹介される。そしてＮＩＰＰＯＮＩＡの説明会が小菅村で開催されると、当時の村の人口約７００人中、約１００人が出席した。「特に動員もかけたわけではないのに、村民約１００人が説明会を聞きにきた。細川邸の活用には、これだけの村民が関心を寄せていて、背中を押された思いだった」と船木村長は語る。

小菅村には大学生の合宿向けの旅館や民宿があり、ファミリー向けのキャンプ場も３つあったが、50代以上の客層が泊まる高級旅館がなかった。コロナ前には、富士山を見るために大月市にインバウンド客が年間約69万人も宿泊しており、今後はインバウンドの富裕層も狙える。

また当時、ＮＯＴＥは兵庫県など関西を中心にＮＩＰＰＯＮＩＡを展開していたが、関東にはまだＮＩＰＰＯＮＩＡがなく、小菅村のような「村全体がホテルになる」というコンセプトはぜひやってみたいものだったという。こうして2019年8月に「NIPPONIA小菅　源流の村」がオープンした。古民家を改装し4室設けたホテルは、ゆったりとした造りで心から寛げる。ホテルは温泉ではないが、高アルカリ性温泉の「小菅の湯」には歩いて行ける距離にある。

「NIPPONIA小菅　源流の村」のマネージャーは谷口峻哉で、妻の谷口ひとみもスタッフとして働いている。2人はオーストラリア留学を経て、2019年2月に小菅村に移住してきたという。ホテルの存在はこうした若い夫婦を小菅村に呼び込んだばかりか、2人には子供も生まれている。またホテルで働くスタッフも主に村の人たちであり、ホテルの存在は村に新しい雇用を生み出しているのである。

「NIPPONIA小菅　源流の村」のレストランでは、二十四節気に基づき年24回メニューを変える。東京都内のミシュランの三ツ星料亭で修業した鈴木啓泰が腕を振るう「源流懐石料理」が提供される。鈴木は村内の農家やヤマメ養殖家から食材を仕入れているが、提供される農産物は少量多品種のため、実際には24回以上メニューを変えているという。小菅村のファーイーストブルーイングのクラフトビールや山梨県産のワインや日本酒とともに、できるだけ小菅村の食材を使った料理が提供される。鈴木は「和食の基本である出汁を引くかつお節は50種類ほど取り寄せ、実際に小菅の水で出汁を引いてみて、小菅の水と最も合うかつお節を選びました」と語る。鈴木自身も春には山に入ってふきのとうなどを収穫しており、まさに「小菅村の今を感じられる特別な料理」が供されるのだ。

「人口をバロメーターにはしない」

小菅村の人口のピークは1955年で2244人だったが、2005年には1018人に半減し、現在は661人となっている。船木村長は、「私は人口をバロメーターにはしていません。住んで良かった村、住みたい村にしていき、小菅村のファンを作ることが重要だと思っています」と明言する。

日本の人口は2008年の1億2808万人でピークを迎え、それ以降は減少するステージに入っている。小菅村では、子育て環境を充実させ、山村親子留学を推進するなど自然増や社会増について最大限の努力をしつつ、若い世代の交流人口を増やし、自然環境と村の産業を維持し、魅力的な村を創ろうと努めており、素晴らしい実践である。

SLOC (Small, Local, Open, Connected) シナリオの中で、特にオープンであることが重要であるが、ほとんどの地方では、そこができていない。地方ではコミュニティーが強い分、どうしてもよそ者に対して閉鎖的になるからだ。

しかし小菅村の人たちは、外からの人たちに対してもオープンな人が多い。例えば、多摩川源流大学が村民講師育成講座を募集したところ、村内から約70人が参加したという。前述のようにNIPPONIAの説明会には、村民が自主的に約100人も参加した。このように小菅村の人たちが外の人や新しい情報に対して比較的オープンであるからこそ、小菅村には魅力的な山奥ビジネスや移住者が来るのである。そこにある大自然を守りながら、歴史や暮らしを活かしている小菅村には、これから「一流の田舎」を創造していく日本の未来の姿がある。この点については、次章以降により詳しく説明していく。

第三部　一流の田舎を創造する

第八章　地方経済を活性化するために

「都市とは人間がつくるもの。それに対して田舎とは、神がつくった自然の中に人間が住まわせてもらうものです。例えば、どこでも目にするようになった、幹線道路沿いに同じチェーン系の店舗が並ぶ風景。あれは一流の田舎ではなく、三流の都会です。土地ならではの文化的土壌や人のつながりがあることが、田舎においては大事なんです」

『ＴＵＲＮＳ』２０２１年10月号巻頭インタビュー　富山県南砺市長　田中幹夫
「つながっていても孤独な時代『いい移住ってなんだろう』」

これまで見てきた山奥ビジネスの事例や自治体事例を踏まえ、これから地方経済をどのように活性化し、地方移住をいかに促進して「一流の田舎」を創造するかを、第八章と第九章で具体的に提言していくことにする。第八章では、まず地方から地場産業や企業城下町が消えていった状況を説明する。そしてこれからの日本の基幹産業は、製造業から観光業にシフトする可能性を指摘し、観光業で地方経済を活性化することを論じていく。そして第九章では、地方移住を考えるための2つのマトリックスを提示して、地方へのUターンを阻害している要因を明らかにしていく。

「一流の田舎」という言葉を提唱しているのは、この章の冒頭にあるように富山県南砺市長の田中幹夫である。都市化が地方にも及んでくると、どこの地方都市にも同じような全国チェーンの店舗が並ぶようになる。よく言われるように「コピペした町」が日本全国に広がっているのだ。

こうした流れに対抗するのが、本書が提唱する大衆による「ハイバリュー・ローインパクト」な財・サービスの生産であり、SLOC（Small, Local, Open, Connected）シナリオによる地域活性化である。ここで、「はじめに」で提示した表を再掲して、全体像を確認しよう（次頁）。

地方から地場産業が消えた

「地方には魅力的な仕事がないから、都会に人が移動している」とよく言われる。しかしながら本書の事例でみてきたように、地方の人口が減少しているのは、かつて地方に存在した地場産業が消え、地域経済が衰退しているからである。つまりビジネスさえあ

行き過ぎたグローバル経済	オープンなローカル経済（SLOC）
都市の文明	地方の自然・文化
大量生産・大量消費 環境破壊と人間疎外 画一的なファーストフード（国際調達）	ハイバリュー・ローインパクトで、大衆による生産 環境保全と人間中心の働き方 地域の食文化に基づく多様なスローフード（地産地消）

れば、どんな山奥であっても人々は集まり、学校や映画館もあって賑わいが存在したのだ。

第四章の石見銀山周辺には、江戸時代の最盛期には20万人が住んでいたと推測されているが、現在の人口はわずか４００人弱だ。また第三章の北海道岩見沢市美流渡地区も同様に、１９６６年に炭鉱が閉山されるまでは約１万人が暮らしていたが、今では４００人弱となっている。美流渡地区から少し行ったところには、日本有数の石炭産出量を誇った夕張炭鉱があった。最盛期の１９６０年代に11万人を超えていた夕張市の人口は、炭鉱の閉鎖により現在では７０００人を切っている。このように鉱業の衰退で人口が減少した自治体は、全国にいくつもある。

また消費の変化によって、需要が大きく減退した産業もある。第一章で熊本県の通潤酒造を取り上げたが、日本酒の消費量は1973年の177万キロリットルをピークとしてその後は下がり続け、現在はピーク時の3分の1以下になっている。かつて全国に4000社あったといわれる酒蔵も、現在は1400社ほどまでに減少している。また第五章の十日町市も1990年代までは着物産業で栄えたが、その後は右肩下がりの状況である。

企業城下町の例として、和歌山県有田市では基幹産業であるENEOSホールディングスの和歌山製油所が、2023年10月をメドに閉鎖されることが決まった。これはその地域の経済にとっては大打撃となるだろう。同様に北海道釧路市では、新聞用の紙を製造していた日本製紙釧路工場が2021年9月に閉鎖となり、約1世紀に及ぶ製紙事業を終えている。

このように、かつては地方に地場産業があり、高度経済成長期には全国各地に工業地帯が形成されて企業城下町も栄えていた。こうした地方にある地場産業や企業城下町が消えてしまい、人口減少や地域経済の衰退が加速したのである。また1990年代にバブル経済が崩壊してからは日本人の生活様式が変化し、例えば全国各地にあった着物産業が衰退していった。さらに1990年代前半には一ドル80円台の円高となり、地方にあった工場が海外移転することも生じて、さらに地方経済は衰退していった。

日本の基幹産業は製造業から観光業へ

2008年に人口のピークを迎え、人口減少と少子高齢化が進んでいく日本では、今後は基幹産業を製造業から観光業へとシフトせざるを得ないと筆者は考える。そしてこれからの観光業においては、本書で提唱する「ハイバリュー・ローインパクト」なサービスを提供し、地域がSLOCであることを目指すべきである。

その第一の理由は、訪日外国人観光客（以下、インバウンド）が日本で消費する金額は、言わば「外貨稼ぎの手段」であり、輸出と同じ経済インパクトがあると考えられるからだ。この点について、インバウンドを対象にした日本国内旅行プラットフォーム、WAmazing株式会社代表の加藤史子は、こう説明する。

「外国人が来日して日本国内で宿泊や消費をする観光業は、『外貨を稼ぐ輸出産業』ととらえることができます。コロナ禍前の2019年には、インバウンド全体の旅行消費額は4兆8135億円に達していました。2019年の日本の輸出品目（一般社団法人日本貿易会）をみると、第一位が自動車で約12兆円、第二位が半導体等電子部品約4兆円なので、2019年の時点でインバウンド観光業は、実質『第二位の輸出品目』と考えられます。また日本政府は『2030年にインバウンドは6000万人、インバウンド全体の旅行消費額15兆円を目指す』という目標を掲げているので、インバウンド観光業は自動車産業の輸出額を上回る可能性すらあるのです」

さらに加藤は、「日本在住者が1人あたり1年間に使う消費額の平均値は130万円と言われています。これに対して訪日外国人旅行者の1人1回あたりの日本旅行で使う金額が約15万円なので、9人の外国人旅行者を呼ぶことができれば、日本人1人の人口減少分の消費がまかなえることになります。これが言わば『観光による地方創生』を単純な算数で表した式なのです」と説明する。日本政府は「観光は成長戦略の柱、地方創生への切り札である」と言っているが、これらのデータからもそのことは裏付けられる。

そして第二の理由は、インバウンドは日本滞在中に宿泊費や飲食費を使うだけでなく、化粧品や食料品、時計や貴金属などの買い物をすることで、日本のGDPを押し上げているからだ。2019年のインバウンド全体の旅行消費額（確報、国土交通省観光庁）4兆8135億円のうち、買物代が34・7％と最も多く、次いで宿泊費（29・4％）、飲食費（21・6％）の順である。ちなみにインバウンドの宿泊費は欧米豪で高い傾向がみられ、中でも英国やフランスが10万円超と高い。娯楽等サービス費は英国（2万2000円）やオーストラリア（1万9000円）が高いが、一方で買物代は中国（10万9000円）が突出して高い。国籍・地域別の旅行消費額では、中国1兆7704億円（構成比36・8％）、台湾5517億円（同11・5％）、韓国4247億円（同8・8％）、香港3525億円（同7・3％）、米国3228億円（同6・7％）の順で多く、これら上位5か国・地域で全体の71・1％を占めている。

最後に第三の理由として、宿泊業や飲食業は老若男女が働ける産業であり、地方での宿泊や飲食において地域の農産物を使えば、第一次産業への波及効果も大きいからである。このようにインバウンドの観光業は、第一次産業から第二次産業、第三次産業のすべてに波及効果があり、日本全国に広く「所得を分配」できる可能性がある産業なのである。

筆者は2019年に『衰退産業でも稼げます』（新潮社）を上梓し、「地産外招」という概念を提唱した。その土地に特有の地域資源を使って、外から人を招くということである。日本全国にある地域資源を最大限に活用してインバウンドを増やすということは、「地産外招」そのものである。日本には25の世界遺産（世界第11位）があり、長い歴史と伝統、固有の文化が残っている。また水資源が豊富で森が多く大自然が残っており、四季がはっきりしていて雪や温泉といった観光資源にも恵まれている。四季がはっきりしているということは、年に4回、景色が変化するということなのだ。

このように自然豊かで四季がはっきりしている日本は、今後スペインやイタリア、フランスのような観光大国を目指すことになろう。本書を執筆している2022年現在は円安傾向にあり、相対的に日本での滞在費が安くなっていることもプラス要因と考えられる。例えば地方の旅館に1泊2食付き1万3500円で宿泊できるなら、約100ドルにすぎない。今やアメリカの地方都市でも、100ドルでは素泊まりすらできない物価水準である。また日本は世界一の長寿の国であり、世界文化遺産にもなった和食は健康長寿と関係していると考えられる。さらに日本は世界的にみても比較的治安が良い国であり、コロナ禍が落ち着けば、再びインバウンド観光は増加していくと考えられる。

ここで2019年に3188万人が日本を訪れた時の状況を思い出してみよう。例えば京都の主な観光地には観光客が溢れて、市内を走るバスは観光客で満員となり地元の人が利用しにくくなるほどだった。京都に限らず、日本全国の様々な場面でオーバーツーリズムの問題が発生していた。筆者も東京・銀座に行った際、日本人よりも外国人の方が多い光景を目撃した。2019年の2倍、年間6000万人のインバウンドが日本に来ることを目標にするのであれば、そうした過密の発生をいかに回避し、日本全国にインバウンドを「分散」させるかが重要な課題となる。そのためには日本全国のそれぞれの地域が様々な魅力ある滞在プログラムを提供し、インバウンドが快適に旅することができるように情報網や交通網を整備することが重要になってくる。

山奥ビジネスが観光業につながる未来予想図

第一章から第七章で紹介した山奥ビジネスの事例が、どのようにインバウンド観光業につながるか。筆者は以下のように未来予想してみた。

まず第一章の山都町では、通潤橋というキラーコンテンツがある。これに加えて、山都町は有機農法発祥の地といわれ、有機農法が盛んな町だ。山都町ではすでに農業のインターンを受け入れる体制を整えているが、これは有機農法のアグリツーリズムとして発展する可能性があるだろう。

第二章の能登町にある世界一美味しいジェラートの存在は、すでにインバウンドを呼び込んでいる。それはＧｏｏｇｌｅのクチコミに英語や韓国語などで書き込まれていることからもわかる。このようにマルガージェラートの存在は、インバウンドや日本の観光客が金沢から足を延ばして、奥能登観光をするきっかけになっているのだ。

第三章の美流渡地区では、編集者の來嶋と画家のMAYA MAXXを中心に、みる・とーぶ展が年3回開催されている。地域の人たちのアート作品の展示や様々なワークショップが開催され、回を重ねるごとに出展者も来場者も増え、活動の輪が少しずつ広がっている。また美流渡がある東部丘陵地区には若い世代が移住して、炭鉱住宅などをリノベーションしたゲストハウスを開業している。今後もこの地域に若い移住者たちがやってきて、ゲストハウスやカフェが開業していけば、きっと国内外からアーティストや観光客が訪れる地域になるだろう。

第四章の大田市大森町には世界遺産の石見銀山があり、インバウンドを惹きつける観光資源に恵まれている。そして同じ大田市には温泉津（ゆのつ）という温泉街がある。温泉津はかつて石見銀山の銀を世界中に運び出した港であり、石見銀山とともに世界遺産に登録されている。つまり温泉津温泉は日本で唯一、世界遺産登録されている温泉街なのだ。この由緒ある温泉街には伝統的な温泉旅館があるが、若い世代が移住して気軽に泊まれるゲストハウスも数軒開業している。温泉津温泉の存在は、石見銀山にさらに多くのインバウンドを惹きつけていくだろう。

第五章の十日町市の大地の芸術祭は、初回から国際色豊かなアートフェスティバルであり、すでに多くのインバウンドが訪れている。通年開催の作品展示やワークショップなどもある。十日町市は日本でも有数の豪雪地帯であるが、あえてその豪雪を見たいという観光客がいるという。大地の芸術祭を十日町市一帯の通年観光につなげることは、この地域の観光業をさらに発展させることになるだろう。

第六章の東川町は、もともと国際交流に積極的であり、国際写真フェスティバルが開催されており、町立の日本語学校もある。加えて東川町にあるスキー場キャンモアスキービレッジは雪質も良く、また旭川空港から車で15分と非常にアクセスが良い。ニセコに集中しがちなスキー客が、東川町にスキーに来る可能性が、今後は広がるだろう。それはこの東川町において、通年観光につながっていく。

第七章の「NIPPONIA小菅　源流の村」は、日本の田舎をまるごと体験できる特別なホテルであり、多くのインバウンドを惹きつけるだろう。「NIPPONIA小菅　源流の村」では、小菅村にある別の古民家を再生し、周囲に何もない絶景が楽しめる「崖の家」という宿泊施設を新設した。さらに小菅村には、縄文時代の竪穴式、横穴式の形をしたバンガローの原始村キャンプ場がある。そこでは地元のジビエを使用した、こだわりの食事を楽しめる。このように村の地域資源を活用して、魅力的な宿泊施設を増やしている小菅村は、これからのインバウンド観光のモデルケースになるだろう。

観光業を地方経済の活性化につなげるために

「インバウンド６０００万人時代」を見据えて、すでに京都などにはハイエンドの顧客向けのラグジュアリーホテルが開業している。日本の観光業では、富裕層のインバウンド向けの宿泊施設が少ないといわれているので、それはそれで必要なことであろう。しかし日本の隅々まで６０００万人のインバウンドを分散させるためには、全国にインバウンドが気軽に利用できる魅力的な宿泊施設がなければならないと筆者は考える。そのためには、すでにある地域資源を最大限に活用していくことが重要だ。そのヒントとなる事例を、ひとつ紹介する。

長野県山ノ内町に移住した株式会社ヤドロク代表の石坂大輔は、インバウンドが求めている「ゲストハウス・カフェ・スタンディングバー」を温泉街に新設して賑わいをもたらしている。もともと石坂は埼玉県出身で、１９８０年生まれ。２０１４年に山ノ内町の渋温泉にある築90年以上の小石屋旅館を約４００万円で入手して山ノ内町に移住した。渋温泉の近くには地獄谷野猿公苑があり、温泉に入る「スノーモンキー」がインバウンドに大人気である。そこで石坂は小石屋旅館をゲストハウスにし、カフェを設けてインバウンドを呼び込み、経営を軌道に乗せた。さらに2021年に石坂は同じ渋温泉の旅館をゲストハウスにし、そこにはスタンディングバーを新設して、誰もが気軽に地ビールや地酒を楽しめる場所にした。こうして渋温泉は、古い温泉街の風情を保ちながら、インターナショナルな装いを有するようになっている。

石坂のような若い世代が古い温泉街に移住すると、温泉街に欠けていたことが実現し、地域の魅力が高まる。「インバウンド6000万人時代」に向けて、若い世代が地方に移住し、廃業した旅館や空き家をゲストハウスなどにリノベーションすることは非常に重要になってくる。こうした若い世代の移住は、旅館の事業承継や空き家の解消を促進し、地方経済を活性化するのである。

次の章では、若い世代が地方に移住するための具体策について論を進めて行こう。

第九章　若い世代の地方移住を促進するために

「さて、短い労働時間、労働の有意義さの自覚、さらに多様性のほかに、労働を魅力的にするために必要なことがらがある。それは、快適な環境だ。（中略）静かな田舎の家や、集団作業場や、小さな町など、それぞれが一番幸せに暮らせるところで、職業を追求してはいけない理由はどこにもないのだ」

『素朴で平等な社会のために　ウィリアム・モリスが語る労働・芸術・社会・自然』

ウィリアム・モリス著（城下真知子訳）

この章では今まで紹介した事例を踏まえて、これから地方移住を促進するための具体的な施策について提示していく。最初に移住をする側の視点から、本書の事例の移住パターンを第一のマトリックス（180頁）を使って整理する。次に移住を受け入れる側の視点から、地方での人口増減のパターンを第二のマトリックス（181頁）を使って説明する。そして地方移住を促進するために、これからどのような施策が必要かについ

第一のマトリックス

	Uターン移住	Iターン移住
事業承継または同じ仕事を継続	第一章 通潤酒造　山下泰雄 第四章 群言堂　松場大吉 (妻の松場登美はIターン)	第一章 MARUKU 小山光由樹 第三章 森の出版社ミチクル 來嶋路子 画家　MAYA MAXX
新規起業	第二章 マルガージェラート 柴野大造	第三章 ミルトコッペ 中川達也・文江

て具体的に提言をしていこう。

地方移住の4つのパターン

地方移住で問題となるのは、移住先での仕事と暮らし方である。そこで本書の第一章から第四章でとりあげた事例の人々が、どのようなパターンで地方に移住して仕事をするかについてまとめたのが、第一のマトリックスである。

このマトリックスの4つのパターンについて、リスクという観点から見てみよう。左上の「Uターン移住し事業承継もしくは同じ仕事を継続する」パターンは、一番リスクが少ないと考えられる。Uターンの場合は、実家に滞在すれば家賃がかからず、また事業承継や同じ仕事を継続することは、ゼロスタートの新規起業よりも

第二のマトリックス

社会増 Uターン・Iターン移住、特に子育て世代の移住が重要（北海道東川町・島根県大田市大森町）	社会減 進学や就職で若い世代や1人暮らしとなった高齢者が出ていく
自然増 男性の未婚化が進み、また女性の数が少なくなるため、自然増は期待できない	自然減 多死社会となり、自然減の増加は避けられない

リスクは少ないと考えられるからである。同様に右上の「Iターン移住し同じ仕事を継続する」パターンも、居住地を変えることにはある程度のリスクがあるが、事業面ではリスクが少ないと考えられる。そして地方移住によって住居費は安くなるケースが多い。「はじめに」でも述べたが、筆者夫婦もこのパターンで地方移住をした。

左下の「Uターン移住し新規起業する」パターンでは、実家があって家賃がかからないが、やはり新規起業に伴うリスクや苦労があるだろう。第二章マルガージェラートの柴野大造が積み重ねてきた努力の軌跡を見れば、それは明らかである。右下の「Iターン移住し新規起業する」パターンは、一番リスクが高いと考えられる。それでも第三章のミルトコッペの中川夫妻のように、新天地で新しい事業にチャレンジすることは可能である。その場合、事例でも詳述したように事業が軌道に乗るまでの期間、いかに家賃や生活費を抑えられるかがポイントとなる。

地方での人口増減パターン

次に地方自治体から見た、人口増減のパターンを見ていく。第四章の島根県大田市大森町や第六章の北海道東川町で提示した、地方での人口増減のパターンが第二のマトリックスである。

日本の人口は２００８年に1億２８０８万人でピークとなって以来、減り続けている。自然増すなわち出生数は、１９７０年代前半の第二次ベビーブーム以降、一貫して下がっている。本来なら第二次ベビーブームで生まれた女性たちが、２０００年以降に30歳となって出産する時期を迎えたのだから、第三次ベビーブームが起こってしかるべきだった。しかし、第三次ベビーブームは起きていない。このことは、日本の人口問題において、決定的なダメージになっている。

また1990年以降、男性の生涯未婚率（50歳の時点で一度も結婚していない人の割合）は上昇し続け、現在では約25%にもなっている。未婚の男性が子供を持つということは、日本では非常にまれなので、男性の未婚率が高くなることはダイレクトに少子化につながる。女性が子供を産まなくなったというより、子供がいない人が増えた「無子化社会」になっているのだ。

少しばかり出生率が改善したとしても、そもそも出産年齢の女性人口が少なくなっているため、これからの日本で出生数が増えることはない。このように、もはや日本の少子化問題は手の打ちようがないのだ。したがって、日本全体で少子高齢化が一層進み、「自然増＜自然減」のトレンドが続いていくことは明白である。

一時的な社会減は「越境学習」のために不可避

次に、社会増減について論を進めていこう。地方では若い世代が、進学や就職などで地元を離れたまま戻らない社会減が問題になっている。しかし社会減は、大学や専門学校などに進学して専門知識を得たり、地域外で新しい人脈を作ったりするために必要な「越境学習」の機会でもある。従って若い世代の社会減はやむを得ないと考えるべきである。

長野県に住んでいる筆者は、地元の年配者から「若い世代が進学や就職で、地元を離れることを止めなければならない」という意見を聞くことがある。しかしながらこうした意見は、若い世代が「越境学習」をして成長する機会を奪うことになり、長期的には地方を衰退させることにつながるだろう。地方が目指すべき方向性は、若い世代が地元を離れることをストップすることではなく、地元を離れた若い世代が越境学習を終えて、男女ともに地元に戻ってくること、すなわち「Uターンによる社会増を増やすこと」なのだ。

越境学習のための社会減はやむを得ないとしたら、地方ではとにかく社会増を増やすことが重要となる。社会増というとIターンのイメージが強いかもしれないが、実際には地方移住希望者の半分以上はUターンであり、地域でいかにUターンを着実に促進していくかが最も重要である。

Iターン移住者が来ることは予測不能であるのに比べ、Uターンはその土地出身の男女が地元に戻ることであるから、Iターンに比べて起こしやすいと考えられる。そして個人情報保護の問題はあるにしても、自治体にとっては「地元出身者は、住所と名前がわかっている移住候補者」なのである。

極端な仮定だが、ある地域に生まれ育った男女が進学や就職で外に出ても、全員がその地域に戻ってくる、理想的には配偶者を連れて戻ってくる状況であれば、地方の人口は今のように大きく減少していくことはない。しかし、後述するように、地方に住む親たちは「長男が地元に残り、他の子供たちは出て行って構わない」というスタンスなのである。

移住政策を考える場合には、まず確実にＵターンを増やしていくことが重要だ。そもそもＵターンが起こらないような地域では、Ｉターンにも期待できないであろう。

また第四章の島根県大田市大森町や第六章の北海道東川町のように、その地域に魅力的なビジネスがあると、子育て世代のＩターン移住による社会増が起こることもある。それは自然増にもつながり、地域の人口減少が緩和されるだろう。特に東川町の場合には、様々な努力で地域の魅力を高めたことにより、この25年間で人口が増加し、今や人口の約半数が移住者となっていることは注目すべきである。

Uターンの阻害要因は「家父長制・長男教・男女差別」

筆者は横浜市で生まれ育ち、結婚して千葉県に住んで、20年前に家族5人で長野県に移住した。ここからは、首都圏出身者である筆者が地方に20年間、越境学習して気づいたこと、体験したこと、聞いたことも含めて執筆することをお許し願いたい。

地方での生活は、自然が豊かで食べ物が美味しいといったメリットがある一方、その社会は一般に封建的というデメリットがある。保守的・閉鎖的というより、封建的なのだ。地方では家父長制が強く、家族の中で父親の意見が絶対視されている。また長男教と呼ばれるように、子供の中で跡継ぎとする長男だけを優遇する。さらに「男衆・女衆」という言葉に象徴されるような男女の固定的な役割分担が、地域社会や家庭に根強く存在している。各家庭のことは外の人間にはわからない。以下は、実際に私が長野県という地方に20年間住んで地元の人たちから聞いた話である。

家父長制というのは、家長である父親の意見が家の中では絶対的に正しく、他の家族の意見が聞いてもらえない状況である。そうした家父長制では、夫婦喧嘩や親子喧嘩というものが存在しない。妻は夫に意見をしたりせず、子供たちは成人していたとしても、男女を問わず父親の意見に異を唱えたりしないからである。首都圏出身者である筆者は、親子喧嘩や夫婦喧嘩を繰り返して家庭生活を送ってきた。そういう筆者からすると、家父長制というのは、家族の中でお互いの気持ちを本音で話し合わない制度であるように思える。そして家長の意見が必ずしも正しいとは限らないことにも留意すべきだ。

長男教とは、子供たちの中で長男だけをあらゆることで優先することである。長男教の親は、「長男は家業を継いだり公務員になったりして地元に残ってほしいが、それ以外の子供たちは出て行ってもいい」と考えている。そして、「子供の中で、長男が常に最初に風呂に入る」というような長男優先が、子供の頃から執拗に繰り返される。他の子供からすれば、そうしたことは理不尽でかつ不公平であり、子供の時のつらい思い出になって、地元や実家にUターンする気持ちを削ぐ。つまり「長男だけが地元に残ればいい」という長男教は、長男以外の子供たちがUターンをしなくなることで、地方の人口を減少させることにつながる。

また、そうした「長男教」の両親は、「長男の嫁がすべての家事を担うべき」という考え方を持っている。例えば盆や正月に親戚一同が集まった時には、長男の嫁だけが朝昼晩、すべての家族分の食事を作り続けるそうだ。こうなると「長男の嫁になる」ことを望まない人が増えても無理はない。それゆえに地方の長男には嫁が来なくなる。もしくは都市で結婚した長男がUターンしようとしても、「長男の嫁」の役割をしたくない妻からUターンを反対される。こうして頼みの長男が結婚できない、もしくは地元にUターンできないことになり、地方での人口減少は一層進むことになる。

そして地方では家庭や地域の行事は、「男衆・女衆」によって執り行われる。つまり様々な役割が性別で分けられているのだ。盆や正月や地域行事の際に、男衆は酒を飲んで食べている一方、女性は食事を準備し、また後片付けをするというように役割が分かれるのである。おとなしく「男衆・女衆」というローカルルールに従っている母親は、娘にこう告げるそうだ。「ここは、嫁に来るところじゃない」。その言葉を聞いた娘は、どこか別の場所に行って暮らすことを選択するだろう。もしくは母親が言わなくても、若い女性は「男衆・女衆」の根強い地域から出て行き、都市で自由に暮らすことを選択するだろう。

地方から若い女性が転出する現状

20代前半の男女は、進学や就職のために地方から転出することが多い。その一方で、男性は20代後半で一定数が出身地に戻るが、女性の場合には転出が引き続き多い。そのことはデータがはっきり示している。

１９０～１９１頁の表は、２０２０年（令和2年）10月1日の国勢調査で、都道府県別、男女別に20～24歳（20代前半）と25～29歳（20代後半）の「他県からの転入と他県への転出」の数字をまとめたものである。どの都道府県においても、進学・就職のために20代前半の移動人口が多い。また20代後半の移動人口が次に多いが、それは主に就職のために移動していると推測される。このデータでは、20歳～24歳と25歳～29歳の男女別の転出・転入とその差分（ネットの転入・転出数）と、さらに男女を合わせた差分（ネットの転入・転出数）を計算した。

以上のデータから、都道府県別の転入・転出の状況をまとめると、１９３頁の表のようになる。20代の転入超過は東京都が圧倒的に多く、続いて神奈川県や千葉県、埼玉県の首都圏、加えて愛知県や大阪府である。男性に限って言えば、静岡、滋賀、広島も転入超過になる。

一方、転出超過県のうち、20代前半後半で男女ともに転出超過になったのは21道県である。「20代後半で男女ともに転入超過」となる県は6県あり、「20代後半で男性のみ転入超過」となるのは9県。「20代前半で男女の少なくともどちらかが転入超過」となる

女性							男女
20～24歳			25～29歳			20～29歳	20～29歳
転入	転出	転入ー転出	転入	転出	転入ー転出	転入ー転出	転入ー転出
6815	10276	-3461	6251	9359	-3108	-6569	-10584
2697	7862	-5165	2451	3781	-1330	-6495	-11061
2743	7194	-4451	2917	3556	-639	-5090	-8607
10290	9408	882	7155	9333	-2178	-1296	-2430
1700	5868	-4168	1895	2417	-522	-4690	-8523
2638	6266	-3628	2374	3150	-776	-4404	-7626
3034	9245	-6211	4402	4167	235	-5976	-9822
6035	11562	-5527	7681	10091	-2410	-7937	-10872
4775	8349	-3574	5672	6147	-475	-4049	-4298
4236	8566	-4330	4723	5930	-1207	-5537	-8135
25080	16949	8131	33200	31861	1339	9470	15106
23723	14735	8988	29444	25697	3747	12735	22608
90428	24638	65790	94686	63282	31404	97194	168894
38270	18564	19706	42476	39075	3401	23107	44869
4161	10268	-6107	3641	5328	-1687	-7794	-13661
2360	4885	-2525	2394	2499	-105	-2630	-3615
4146	4709	-563	3013	3743	-730	-1293	-1894
1302	3777	-2475	1652	1813	-161	-2636	-4159
2685	4260	-1575	1941	3018	-1077	-2652	-4135
4151	10342	-6191	5391	4270	1121	-5070	-8136
3675	8390	-4715	4694	7883	-3189	-7904	-14408
7023	15067	-8044	9801	8387	1414	-6630	-5808
19959	16457	3502	23131	18357	4774	8276	22741
3095	7031	-3936	4360	5727	-1367	-5303	-8220
3870	4873	-1003	4847	5793	-946	-1949	-1816
15860	10125	5735	9193	17382	-8189	-2454	-5736
30167	17433	12734	32309	29908	2401	15135	15813
14276	17547	-3271	15546	20257	-4711	-7982	-19039
3620	4790	-1170	3604	7047	-3443	-4613	-10328
1258	4372	-3114	1976	2584	-608	-3722	-7088
1923	3065	-1142	1581	1745	-164	-1306	-2826
1899	3928	-2029	2000	1911	89	-1940	-3163
7200	7529	-329	4807	6945	-2138	-2467	-4481
8625	10869	-2244	7725	8610	-885	-3129	-2999
4076	7072	-2996	3372	4437	-1065	-4061	-6726
1966	3459	-1493	1493	2350	-857	-2350	-4200
2584	4789	-2205	2905	2530	375	-1830	-3588
2602	6646	-4044	2788	3373	-585	-4629	-8745
1887	3699	-1812	1404	2023	-619	-2431	-4513
21075	16428	4647	16233	17931	-1698	2949	-523
2391	4829	-2438	2622	3357	-735	-3173	-6403
3346	8210	-4864	3503	4512	-1009	-5873	-10894
4326	8274	-3948	4214	5638	-1424	-5372	-11155
2800	5787	-2987	2953	3231	-278	-3265	-5811
2268	6411	-4143	2665	2995	-330	-4473	-8313
2997	8468	-5471	3868	4522	-654	-6125	-11679
2666	5432	-2766	3964	2965	999	-1767	-4011

◆ 令和2年国勢調査に基づく移動人口の男女・年齢等集計

	男　性						
	20～24歳			25～29歳			20～29歳
都道府県	転入	転出	転入－転出	転入	転出	転入－転出	転入－転出
01 北海道	12589	13810	-1221	9490	12284	-2794	-4015
02 青森県	4055	7765	-3710	3295	4151	-856	-4566
03 岩手県	3828	7355	-3527	3767	3757	10	-3517
04 宮城県	13197	10869	2328	8627	12089	-3462	-1134
05 秋田県	2599	6035	-3436	2394	2791	-397	-3833
06 山形県	3660	6265	-2605	2811	3428	-617	-3222
07 福島県	5056	9671	-4615	5727	4958	769	-3846
08 茨城県	10298	12958	-2660	11361	11636	-275	-2935
09 栃木県	6687	9227	-2540	8636	6345	2291	-249
10 群馬県	6712	9744	-3032	6831	6397	434	-2598
11 埼玉県	26427	20929	5498	34223	34085	138	5636
12 千葉県	27328	18948	8380	30873	29380	1493	9873
13 東京都	83993	31132	52861	91035	72196	18839	71700
14 神奈川県	44052	25131	18921	48597	45756	2841	21762
15 新潟県	6515	10778	-4263	4958	6562	-1604	-5867
16 富山県	3905	5344	-1439	3503	3049	454	-985
17 石川県	7195	6075	1120	3794	5515	-1721	-601
18 福井県	2855	4441	-1586	2500	2437	63	-1523
19 山梨県	3565	4694	-1129	2882	3236	-354	-1483
20 長野県	6447	11754	-5307	7204	4963	2241	-3066
21 岐阜県	4941	10139	-5198	5830	7136	-1306	-6504
22 静岡県	12341	17621	-5280	15490	9388	6102	822
23 愛知県	29852	22917	6935	30977	23447	7530	14465
24 三重県	4955	8777	-3822	6837	5932	905	-2917
25 滋賀県	7192	6339	853	6568	7288	-720	133
26 京都府	18053	11209	6844	9468	19594	-10126	-3282
27 大阪府	29369	24112	5257	31183	35762	-4579	678
28 兵庫県	14382	22868	-8486	18061	20632	-2571	-11057
29 奈良県	3204	5833	-2629	3469	6555	-3086	-5715
30 和歌山県	1778	4902	-3124	2391	2633	-242	-3366
31 鳥取県	2518	3517	-999	1632	2153	-521	-1520
32 島根県	2708	4376	-1668	2574	2129	445	-1223
33 岡山県	8165	9126	-961	6092	7145	-1053	-2014
34 広島県	13101	13264	-163	10671	10378	293	130
35 山口県	6169	8074	-1905	4517	5277	-760	-2665
36 徳島県	2696	3730	-1034	1911	2727	-816	-1850
37 香川県	3405	5790	-2385	3465	2838	627	-1758
38 愛媛県	3715	7596	-3881	3659	3894	-235	-4116
39 高知県	2636	4003	-1367	1532	2247	-715	-2082
40 福岡県	23359	21472	1887	16951	22310	-5359	-3472
41 佐賀県	2695	5608	-2913	2806	3123	-317	-3230
42 長崎県	4677	9414	-4737	4373	4657	-284	-5021
43 熊本県	5650	10163	-4513	4906	6176	-1270	-5783
44 大分県	4064	6649	-2585	3675	3636	39	-2546
45 宮崎県	3119	7030	-3911	3262	3191	71	-3840
46 鹿児島県	4320	9840	-5520	4690	4724	-34	-5554
47 沖縄県	2928	5661	-2733	3712	3223	489	-2244

のは京都府、福岡県、宮城県、石川県、滋賀県で、主に進学によるものと推測される。

これらのデータから、「地方の20代男女が、首都圏や愛知県、大阪府に転入する」とともに、「男性に比べて、女性が地方に戻らない」ことは明らかである。

「地方では、やりたい仕事がない」という声を聞くことがあるが、それは男性でも同じであろう。つまり男女で転入・転出に差があることの根底には、地方での採用状況や職場において男性が有利であり、男女差別があると推測される。換言すると、女性がUターンしたいと思っても、地方にある魅力的な仕事は男性が優先的に採用されるため、女性は都市で働くことを選択するのである。

地方の人口を増やすためには、若い女性のUターンを推進することが必要であるが、そのためには地方での就職活動で男性優先にしないことや、地方の職場で男女平等にすることが重要となる。また地方で子育て中の家庭では、「子供たちを平等に育て、男女ともに『地元に戻りたい』という土壌を培うこと」をぜひ実践していただきたい。その効果が出るのは次の世代、数十年先のこととなるとしても。

若い女性が出ていく地方は消滅する

◆20代男女別・都道府県別の転入超過・転出超過

全体で転入超過	6	東京都	神奈川県	愛知県	千葉県	大阪府	埼玉県
転入超過人数		168,894	44,869	22,741	22,608	15,813	15,106
各項目で転出超過	21						
20代後半で男女転入超過	6	福島県	長野県	静岡県	島根県	香川県	沖縄県
20代後半で男性のみ転入超過	9	岩手県	栃木県	群馬県	富山県	福井県	三重県
		広島県	大分県	宮崎県			
20代前半で男女転入超過	3	宮城県	京都府	福岡県			
20代前半で男性のみ転入超過	2	石川県	滋賀県				

２０１４年に出版された『地方消滅』では、全国の市区町村別の将来推計人口を、自治体の若年女性人口の減少率から推計していた。その自治体に若年女性が一定数いれば子供も生まれて自然増があり、人口減少も抑えられる。この本の結論は、「若い女性が出ていく地方は消滅する」ということだ。しかし、若い女性が地方から出ていく原因を十分に分析していない。

また『地方消滅』で「消滅可能性が高い」と指摘された自治体は、その後どんな努力をしてきたのだろうか。「子育て支援」という名目で、出産祝い金を出したり医療費や給食費を無料にしたりする施策をしてきた自治体が多いが、これは全くもって的外れな施策である。なぜならば、若い女性が地域にとどまる、もしくはUターンするためには、まず地方で若い女性が働く場がなければならないからである。すなわち若い女性たちにとっては、「子育てよりも、まず働く機会があるかどうか」が問題なのだ。その時点で若い女性が都会で働くことを選んだら、そのまま都会で働き結婚することになるだろう。このことを勘違いしている自治体関係者や地方議員が多いと思う。そして女性たちは、活躍したいのでもなく、輝きたいのでもなく、「普通に男女平等な職場で働きたい」ことを理解すべきだ。

第五章で、十日町市のFC越後妻有という女子サッカーチームのことを取り上げた。社会人になってもサッカーを続けたい女性たちが、十日町市に移住して農業をやりながら選手生活を続けている。そういう「女性のやりたいこと」がかなうような魅力的な職場を、地方は積極的に用意すべきなのである。

地方議会の現状

家父長制・長男教・男女差別がある地方では、「ジェンダーギャップをどう解消するか」という究極の問題に直面する。しかし、これはなかなか大変なことである。例えば、女性議員が一人もいない町村議会は全体の約３割を占める。女性議員がゼロの自治体でも、住民の約半分は女性である。そういう議会では、約半分の住民の意見を反映せずに、政策や予算配分をしていると言える。

また２０１９年の統一地方選挙で行われた３７５の選挙のうち、約25％にあたる93町村では、定員を超える立候補者がなく無投票となっている。都市出身者からすれば、「選挙が無投票」というのは考えられないが、地方ではよくある話なのだ。また地方議会において、60代以上の議員が占める割合は約75％、20代から50代の議員は約25％である。地方においては、選挙前にそれぞれの地区で「寄合（よりあい）」という話し合いの場を設けて、そこで地区代表を選ぶことが多い。当然、地区代表は男性になる。また議員活動と仕事はなかなか両立しづらいため、すでに会社を退職した人や、年金を受給している世代の男性が地方議員になることが多くなるのだ。

また地方議会においては、議員報酬が少ないことも議員のなり手不足につながっていると言われる。人口５００人未満の自治体の議員報酬は平均で月18万円、議員報酬が一番少ない自治体では月10万円である。この議員報酬のレベルでは、年金をもらっている世代には十分であっても、子育て世代の男女が議員収入で生活するのは大変なのだ。

山奥の生坂村で起きた議会イノベーション

地方議会は民主主義の根本であり、地方議会の現況を変えていくことは、地方の課題である。しかしながら女性議員がゼロで、60代以上の男性議員が75％の地方議会において、「女性が喜んでUターンをする施策」や「若い世代の地方移住を促進するための施策」を一体どうやって考えていくのだろうか。

そんな閉塞感が溢れる中、長野県の山奥にある生坂（いくさか）村で、議会イノベーションが起きた。人口約１７００人の生坂村では、「56歳未満の村議会議員の報酬を、現行の月18万円から月30万円に上げる」という条例を２０２０年12月に制定し、２０２１年４月の村議会議員選挙から適用したのである。

生坂村では２００１年の村議会議員選挙以降、無投票（定数と立候補者数が同数）となることが4回続いていた。さらに２０１７年の村議会議員選挙では、議員の定数８人のところ欠員１のまま、無投票で7人の議員が決まるという状況だった。つまり議員になりたいという村民が少なくなったのである。「無投票では住民が議員を信任していることにならない」という住民の声もあったという。

生坂村議会はこの状況をなんとか改善しようと、大学教授を呼んで勉強会をしたり、各地の選挙事例を研究したりした。その時に出てきたのが、２０１５年に長崎県小値賀（おぢか）町の議会が制定した「50歳以下の議員の報酬を、月18万円から月30万円にする」という全国初の画期的な条例である。しかしながら小値賀町では、この条例にたいして「報酬目当てに議員になる人が出る」という批判的な声が上がったという。そういう声に遠慮したのだろうか、条例制定後の選挙では該当する若い世代が立候補しなかった。結局、長崎県小値賀町ではこの条例は一度も適用者が出ないままに廃止になった。

生坂村議会はそうした状況も考慮した上で、「56歳未満の村議会議員の報酬を、月30万円に上げる」という条例を２０２０年12月議会で、全員一致で可決した。そして翌２０２１年４月に行われた村議会議員選挙では、９名が立候補し選挙が行われ、上記に該当する３名の若手議員（現職１名、新人２名）が当選した。当選した新人の若手議員は、生坂村に20年ぶりにＵターンした37歳の男性と、４児の母で小学校のＰＴＡ会長を務めた44歳の女性である。

このように若手議員の報酬を上げる条例は、子育て世代が議員になるきっかけになり、議員に立候補する人が増えて、選挙が行われることにつながった。若い世代が議員になれば、地方議会が活性化し、より若い世代の意見を取り入れた政策が行われるようになるだろう。そして長期的に、地方のジェンダーギャップが解消されることにもつながると期待できるのである。

比例代表（北陸信越）選出の篠原孝衆議院議員は、「地方議会の活性化のために、こうした条例を制定した自治体に差額を国が補助することを考えるべきだ」と国会で提案している。篠原は「現在の地方議員の年齢分布や平均給与から計算して、予算は約15億円規模になる。しかし地域おこし協力隊に毎年約185億円を予算計上していることと比べると、この予算規模は是認できる」としている。

筆者は、もし国が地方議員報酬と30万円との差額を補助するということになれば、条件をしっかり設けるべきだと考える。例えば、対象は人口1万人以下の町村（不交付団体を除く）で、若い世代の議員報酬を30万円にする条例をすでに制定していることと、無投票ではなく必ず選挙が行われて議員が選出されていることを条件にすべきである。

そして山奥の生坂村で起こった議会イノベーションが、ＳＬＯＣシナリオに則って、これから全国に広がっていくことを筆者は期待している。人口が少ない地方議会こそ、若い世代や女性たちが議会で活発に発言して、若い女性のＵターンを促進し、若い世代の移住者を呼び込む有効な施策や地域活性化の施策を話し合うべきだからだ。

女性や若い世代の移住を招くオープンな地域

筆者は、「山奥で自然環境を守りながら、どんなビジネスが可能なのか」ということに興味を持ち、全国で山奥ビジネスの取材を始めた。そして取材中に「ハイバリュー・ローインパクト」や「ＳＬＯＣシナリオ」というコンセプトに出合い、ビジネスのイノベーションに不可欠な「越境学習」を加えて、それらが「一流の田舎」を形成する条件であることが分かった。

「ＳＬＯＣシナリオ」のなかで、一番大事なのはオープンであることである。オープンであるとは、外から来た人たちを受け入れ変化を起こすことだ。自治体事例で取り上げた十日町市や東川町、小菅村は、外から人を招くプロジェクトを20年以上続け、そうした努力の結果、自治体の職員や住民たちは次第にオープンになり変化が起きたのである。決して最初からオープンであったわけではないのだ。

そして実際に都市に住む人々が、山奥や地方に魅力を感じて移住しなければ、地域を魅力的にする山奥ビジネスは始まらない。人口減少に悩む地域は「家父長制・長男教・

男女差別」を少しでも緩和して、外から来た人々にオープンに接することである。そうすることで、女性や若い世代の移住を促進できるし、第八章で論じたように外国人が訪れやすい文化風土も育つはずである。

おわりに

2020年6月、鹿児島県枕崎市の地域おこし協力隊の女性が、「明治時代に建てられた旧郵便局と住居が100万円で売りに出ています」とツイッターで紹介した。その投稿に対して、「エモい郵便局!」「まるでジブリ映画にでてくるようだ」というコメントがついて話題になり、1万件以上のいいねがつき、5000件以上のリツイートがされた。この「エモい郵便局」は、枕崎市中心部から車で10分ほど行った山奥の金山町(きんざんちょう)にある。ここはその名前の通り、江戸時代に薩摩藩の財政をささえた鹿籠金山があり栄えた地域であった。

この「エモい郵便局」物件を購入したのは、鹿児島県阿久根市の下園正博だ。下園は1980年生まれで、阿久根市にある水産加工業、下園薩男商店の3代目である。下園が福岡にある大学の情報工学部に進学した頃は、世の中はITブームに沸いており、下園も「将来はITで起業して、億万長者になりたい」という夢を持っていた。しかし、

枕崎市の山奥にある「エモい郵便局」(写真提供：下園正博)

大学の夏休みに時間もお金も十分あるのに、やりたいことがなくてつまらないという状況になった。その時、下園は「自分が本当にやりたいことは何か」を考えたところ、「阿久根市に戻り、家業の水産加工業で地域を活性化したい」と思うようになったという。

下園は大学卒業後、2年限定で東京のWEB関係の会社に入社し猛烈に働く。その後、築地近くの水産会社に勤務し、2010年に家業の水産加工業に戻った。そして2013年にイワシの丸干しをオシャレに味付けして、洗練されたデザインパッケージにした「旅する丸干し」シリーズを商品開発して大ヒットさせる。さらに下園は阿久根市で「イワシビル」を2017年に開業し、1階はカフェとショップ、2階は加工所、3階をゲストハウスにした。このおしゃれな「イワシビル」には全国から人が訪れ、コロナ禍以前には、外国人観光客のゲストハウス利用もあったそうだ。

下園は冒頭のツイートを見てすぐに物件を見に行き、この山奥にたたずむ「エモい郵便局」に魅せられて100万円で購入する。この山奥の物件でどんなビジネスを展開するかを考え、かつお節の枕崎から猫をイメージして「山猫瓶詰研究所」を思いついた。南薩摩産の野菜を瓶詰ピクルスにする事業をメインに、枕崎のかつお節を使ったマフィンや、お茶の産地である知覧の紅茶を使ったチャイ、サツマイモのスイーツなど、地域資源を活かしたメニューをカフェで提供する予定である。

しかし同じ鹿児島県といっても、下園が住む阿久根市は鹿児島県北部にあり、この物件がある鹿児島県南部の枕崎市まで、車で2時間かかる。なぜ下園はこの山奥の古民家を購入して、新しい事業を始めようと考えたのだろうか。

「『山猫瓶詰研究所』があるような山奥で商売が成り立てば、日本全国どんな場所でもお店が成り立ちます。地域資源を活かしたビジネスなら山奥でも暮らしが成り立つ、そんなお店を鹿児島県内や、将来は台湾などにもつくっていきたいのです」と下園は夢を語る。２０２２年9月に開業した鹿児島県枕崎市の「山猫瓶詰研究所」は、まさにこれから始まる「山奥ビジネス」である。

モノを作れば売れた高度経済成長期、価格が高いモノほど売れたバブル経済期を経て、その後の日本経済は「失われた30年」という言い方がされるようになり、日本人はすっかり自信を失ってしまったかのように思える。しかし現在の日本人が持っている閉塞感は、過去2回の大成功した体験が忘れられず、新しい状況で新しいビジネスを生み出せなくなったからではないか。

本書の事例取材を通じて、バブル経済崩壊後に日本人が失ったのは、シューマッハーが指摘する「よく働く頭と器用な手」とともに、「夢を持つこと」ではないかと筆者は考える。なぜなら山奥ビジネスの人々は皆、それらを持っていたからだ。

現在は経済のグローバル化が進み、資本主義の行き過ぎによる格差の拡大や環境破壊がさらに進んでいる。そんな中でも「大衆による生産」を取り戻し、地方の人々が持続可能な社会変革を行えれば、格差の拡大や環境破壊に対して一定の抑止力は持つはずだ。

シューマッハーの『スモール イズ ビューティフル』や本書『山奥ビジネス』は、ノスタルジアでも現実逃避でもなく、行き過ぎたグローバル経済に対峙するための処方箋なのである。

山奥ビジネスの人々は越境学習を経て、その土地ならではの「ハイバリュー・ローインパクト」な財・サービスを生み出す。そしてインターネットを駆使すれば、たとえ山奥に住んでいても仕事と暮らしは成り立つ。その実現のためには、差別がなく変化をいとわない「オープンな地域社会」を新たに創造すべきだというのが本書の結論である。

「はじめに」でも述べたが、「人とストーリーが、行動を促す」と私は思う。そして本書が、日本のどこかで、次の「人とストーリー」の実践につながれば幸いである。

最後に、お忙しい中、本書の取材や写真提供に応じていただいた方々に、心から感謝申し上げたい。そして本の企画段階からいくつかの取材現場、原稿のチェックまでずっと伴走し支えてくれた夫、藻谷俊介にも心から感謝して筆を擱く。

2022年9月

藻谷ゆかり

主要参考文献

はじめに

『Design, When Everybody Designs: An Introduction to Design for Social Innovation』Ezio Manzini著 MIT Press
『スモール イズ ビューティフル　人間中心の経済学』E・F・シューマッハー著　小島慶三・酒井懋訳　講談社学術文庫
『地方消滅　東京一極集中が招く人口急減』増田寛也編著　中公新書

第二章

『アルプスの少女ハイジ』ヨハンナ・シュピリ著　松永美穂訳　角川文庫

第三章

『いなかのほんね』北海道教育大学の学生26名＋來嶋路子編　中西出版
『山を買う』『続　山を買う』來嶋路子著　森の出版社ミチクル
『移住は冒険だった』ＭＡＹＡ ＭＡＸＸ著　森の出版社ミチクル

第四章

『起業は山間から』森まゆみ著　バジリコ
『ぐんげんどう（経・緯）』石見銀山生活文化研究所編　平凡社

『過疎再生　奇跡を起こすまちづくり』松場登美著　小学館

第五章

『ひらく美術　地域と人間のつながりを取り戻す』北川フラム著　ちくま新書
『人口減少問題に挑戦するミーティング　越後妻有で活きる個の力(パワー)』新潟県十日町地域振興局企画振興部
『カール・ベンクス　よみがえる古民家』柚木崎寿久著　新潟日報事業社
『古民家の四季』カール・ベンクス著　新潟日報事業社

第六章

『東川町ものがたり　町の「人」があなたを魅了する』写真文化首都「写真の町」東川町編　新評論
『東川スタイル　人口8000人のまちが共創する未来の価値基準』玉村雅敏・小島敏明編著　産学社
『東川スタイルマガジン　vol.0 MAKERS　つくり続けるもの』東川出版

第八章

「つながっていても孤独な時代『いい移住ってなんだろう』」『TURNS』Volume48 October 2021 巻頭インタビュー　富山県南砺市長　田中幹夫

藻谷ゆかり　東京大学経済学部卒、米ハーバード・ビジネススクールMBA。会社員、起業を経て経営エッセイスト。2002年、家族5人で長野県に移住。著書に『衰退産業でも稼げます』など。

Ⓢ新潮新書

971

山奥(やまおく)ビジネス
一流(いちりゅう)の田舎(いなか)を創造(そうぞう)する

著　者　藻谷(もたに)ゆかり

2022年10月20日　発行

発行者　佐　藤　隆　信

発行所　株式会社 新潮社

〒162-8711　東京都新宿区矢来町 71 番地
編集部（03）3266-5430　読者係（03）3266-5111
https://www.shinchosha.co.jp
装幀　新潮社装幀室
組版　新潮社デジタル編集支援室

印刷所　株式会社光邦

製本所　加藤製本株式会社

ISBN978-4-10-610971-3　C0234